# 悪夢の選択

## 迫りくるアメリカ

南北戦争か共産主義革命か!?


宮崎正弘
Masahiro Miyazaki
×
渡邉哲也
Tetsuya Watanabe



ビジネス社

# はじめに　アフター・コロナ、世界リセットの衝撃――宮崎正弘

## 異端のMMTが世界の常識に

本書は『アフター「コロナ禍」の世界リセット、そして日本経済地図』という視点から経済評論の泰斗、渡邉哲也氏と多くを議論をする企みである。

しかしながら情勢はいまだ混沌としており、近未来を見通す作業はコロナ解決の見通しが立ってからになりそうだ。つまりワクチンが行き渡り感染者が激減するであろう2022年以降になる。

コロナは世界を変えた。そして今後、もっと激しく世界史を変貌させるだろう。

疫病はポエニ戦争もローマの滅亡も、スペイン風邪と第一次大戦も、すべての画期的な出来事が随伴し世界を根底からリセットした。

すでに世界の産業の地殻変動が起こり、フィンテック、AI、EV革命が次のイノベー

ションへのシフトを産み、世界は予想だにせぬ方向へリセットされつつある。

第一に米国の近未来がまるで見通せないけれども、衰退に向かっていることは確かだ。日米同盟に依存する日本に宿命的な選択が迫られる。米国の軍事力の後退は以前から言われてきたが反比例して中国の軍事力突出はまだ勢いが止まらない。

キーとなるのはバイデン政権が驀進する赤字を懼れぬばらまきの財政政策だ。

2021年1月19日に米上院財政委員会は財務長官に指名されたイエレン（前FRB議長）の承認公聴会を開いた。この席でイエレン財務長官は「大きな行動を取る」と言った。いったい、何が「大きな行動」なのか？

200兆円のばらまきを「大きな行動」として前向きに評価し、「債務拡大につながっても恩恵は代償を上回る」と赤字拡大に前向きだ。未曾有の危機に緊縮財政とかバランスシートとかの議論はワシントンからも消えていることに注意したい。赤字国債を乱発すると公言しているのである。

コロナ禍以前、まるで相手にされなかったMMT議論がいまでは世界の常識となった。「米国民が新型コロナ感染拡大の影響に耐えられるよう財政面で積極支援をなし、米経済を再構築することが、多くの人が恩恵を受けられる繁栄を実現できる」とするのが、イエレンの新しい立場だ。

この演説を聞いて、なんだか仁徳天皇が3年間、無税、賦役免除を実践した徳政を思い出した（ただしバイデン政権は徳をともなっていないが……）。

またイエレン財務長官は、「中国は明らかに米国のもっとも重要な戦略上の競争相手であり、不平等で不法な慣習に対応していく」として外交政策にまで言及した。対中外交が財政政策とセットであることを窺わせる。

バイデン大統領自身、2月4日の記者会見で「中国はもっとも深刻な競合者」と明言した。そして「これまで通りの（強硬な）姿勢で対中外交に臨む」とした。

## 武漢コロナは世界経済に大停滞を運んだ

「武漢コロナ」が世界にもたらした厄災は甚大このうえない。世界各地でロックダウン、巣ごもり、飲食店やインバウンド業界の大量失業だった。

一方で、テレワークの大流行はズームやライン、関連家電の大量消費が起こり、ズームの利益増は90倍。外食に代わって出前（ウーバー）、そして巣ごもりの娯楽は映画となりネットフリックス会員は2億人を突破した。

在宅勤務はビジネススーツ需要を減らし、マスクは化粧品需要を変質させる。青山商事は売り場を半減させ、空きスペースにコンビニなどを誘致する。反対にカジュアル衣料、スポーツ関連が伸びた。資生堂は日用品部門を売却する。

ファミレスのサイゼリヤや居酒屋チェーンのワタミは赤字転落。後者は83店舗を休業させた。マクドナルドや吉野家などは黒字。巣ごもりはインテリア充足という需要が起こりニトリは空前の利益をあげた。

「需要が減ったのではない、変質したのだ」

需要の変化こそは、次のリセットの出発点である。

雇用状況に地殻変動的な動きが表面化した。ＩＨＩは社員８０００名の副業を認めた。この「副業の制度化」は日立、日本製鉄、ＪＦＥ、日産、ホンダなどを例外に、三菱ケミカル、三井化学、ダイハツ工業などが取り入れた。典型は三菱重工の余剰社員をトヨタ車体が「出向」というかたちで引き受けたように劇的な雇用の移動が起きている。

近代日本経済史で、このような事態の出来事はなかった。

花形と言われたＡＮＡ、ＪＡＬは国際線が事実上休便となり、国内線も大幅減便となって、余剰人員を関連産業へ派遣した。業界ではＪＡＬ・ＡＮＡ統合プランが噂されている。あげくに三菱重工系列の三菱重工工作機械は新興の日本電産が買収する。

観光旅行はＧｏ Ｔｏキャンペーンで瞬間的な回復の兆しがあったが、1月にでた緊急事態宣言が延長され、自粛は長引き、ビジネス出張もテレビ会議で代替するようになって国内のホテルは4割減。新幹線も飛行機もガラガラ状態。旅客機は貨物輸送に振り替えている。居酒屋は朝から飲める店が増え、夕方も午後4時には開店という状況だった。

とくにインバウンド業界が深刻である。温泉旅館は閉鎖が目立ち、受け入れのガイド、旅行代理店は閑古鳥が啼き、ＪＴＢも近畿日本ツーリストもＨＩＳも支店の多くを畳んだ。

これらはコロナがもたらした地獄図の表面だけの動きである。

産業構造的な大改変は大きな災害のあとに行われるインフラ投資だが、阪神淡路大震災では「新長田駅南地区」の大開発がいわれ、立派な複合ビルや商店街が完成した。ところが商店街はいまもシャッター通りである。

東日本大震災では、駅や病院の周辺に住宅地、商業施設などを集約したコンパクトシティの建設、仙台空港の民営化や東北薬科大学に医学部が新設された。仙台は一時建設ブームに沸いた。

しかし現状は対策に追われるだけで、「ポストコロナ」のインフラ建設の青写真は提示されていない。

不動産も大きく揺さぶられ、テレワークが本格化したため都心のオフィスビル需要が急減し、有名ビルもテナントが埋まらず、値下げになる。ビジネスホテルはテレワーク専用ホテルとして集客をはかる。都心を捨てて近郊都市への本社ならびに住居移転が顕著となった。通勤電車の満員状態は緩和された。

米国でもハイテクのメッカ、シリコン・バレーからエクソダスが始まった。

オラクルは本社を移転し、テスラCEOのイーロン・マスクも自宅を移した。最大の理由はシリコン・バレーの家賃が高すぎることだ。在宅勤務ならわざわざ高い家賃のマンションに住まなくても良い。いや思い切ってテキサス州はどうだとオースチン市あたりの人口は突如30万人も増えた。人口急膨張をつづけてきたカリフォルニア州で人口減という新現象がうまれた。

模索から実践へ。これまでに言われたのはEV、医療設備、次世代半導体などであり、投資家の資金投下が目立ち、ベンチャー・キャピタルも虎視眈々と新成長産業に注目し、投機する。

次期半導体開発は、あたらしい産業界を牽引する象徴的な基幹部品だが、世界最大のTSMCやインテルは設備投資を増やしている。日本のルネサスも注文を捌きされないのは自動車用半導体が供給不足となっているからだ。半導体装置の東京エレクトロンの株価は、コロナ発生時から3倍、ルネサスは4倍の急暴騰となった。

また半導体と並ぶ基幹部品はベアリングである。自動車がEV方向へ流れはじめ、ガソリン車仕様の半導体が減少して行く傾向は明らか。日本精工などは家庭用電気製品の部品生産を倍増させる。

なにしろ日本は「2050　脱炭素《カーボン・ゼロ》」を宣言しているのである。

同時に医療現場で夥しい矛盾が発覚した。国民健康保険や介護保険は財源が限界にきているが、医療と保険の相互関係が、本来の医療目的とは乖離した実情を現出させていた。病床はあまっているのにコロナ感染者を受け入れる病院が極端に少なく医師会のやり方に批判が集中した。「医療崩壊」というのは彼らのキャンペーンだ。

これは今後、異常な生命維持装置重点主義、植物人間維持システムの改編につながる方向へ進むのか、どうか。日本経済は転換点、それも歴史的な岐路に立っている。

## 世界5大予測

現時点でもおおまかに予測できることがある。

①日本は10年以内にGDPでインドに抜かれるだろう。かつて7つの海を支配し、世界一だった英国が、五傑からはみ出したように、現下の日本はあまりにも活気が希薄であり、かつ国家百年の計がない。

②バイデン新政権は、いかに逆立ちしようが、米国を衰弱させ、近くカマラ・ハリス副大統領が昇格という「悪魔のシナリオ」がある。極左グループは究極的にそれが狙いであり、バイデンは前座を務めるピエロに過ぎないというのが彼らの考え方である。その準備段階が保守の言論妨害と封殺である。トランプ前大統領の口は封じられた。アメリカの言論空間も左翼の検閲、自由な言論が封殺されたことは唖然とするばかりだが、まさか中国、ロシア、そして香港の悪政が「自由の国」のはずだったアメリカを襲うとは！

③イーロン・マスクが「高転びに転ぶ」日があるのではないか。

国際的には「2050 カーボンゼロ」に向かって突っ走っているが、中国のEVプロジェクトは速くも息切れがでており、後追いのＧＭもフォルクスワーゲンもＥＶで失敗するだろう。ということはトヨタのＨＶが主流を回復するのではないか。

④日本経済の復活シナリオは、現状を分析する限り描きにくい。ＥＶで脱炭素、電力沸騰などとなると鉄鋼、造船は衰弱死を迎えるのだが、当事者以外、メディアは心配していないようだ。産業のコメである半導体に関して言えば過去20年間壊滅状態にあった日本だが、米・台・韓の半導体下請けから這い上がれるか、どうかの岐路に立っている。

⑤また「２０３５年にＧＤＰでアメリカを抜く」と予測されている躍進チャイナだが、客観的なデータを分析するとゾンビ企業だらけ。社債デフォルト、外貨減少などで中国は息切れ倒産状態である。ＡＩによる個人情報管理などネット全体主義に死角がある。

中国金融当局の中枢にいるエコノミストが爆弾発言を繰り出し「ＧＤＰ成長率の数字より、債務の膨張こそ懸念材料だ」と警鐘を鳴らした。２０２０年度の中国のＧＤＰは２・３％だそうな。２０２１年度のＧＤＰ目標値は８・５％を上回ると豪語している。中国政府はＧＤＰ堅持のために無謀な財政出動と、土木建築、インフラ整備に巨額を注ぎ込む一方で、各種補助金てんこ盛りで対応している。

「ＧＤＰ成長率など、永久に葬れ」と中国のシンクタンクの会合（中央経済工作会議および当面の経済形態分析討論会）で中国人民銀行の馬駿・貨幣政策委員会委員は、「GDPを経済成長の目標値とするのは、中国経済の実態を反映していない。GDP数値は作為的であり、財政支出を合法としているだけだ。地方政府債務、金融市場における（社債デフォルト、銀行倒産などの）実情を見れば、成長とは裏腹に、債務が急膨張している」。

馬駿は中国を代表するエコノミストの一人で、ダボス会議でも発言のたびに欧米の経済ジャーナリズムが注目してきた人物。国際的にも有名な存在である。

## バイデン新政権、泥沼のスタート

バイデン大統領は就任式でコロナ対策に加えて「国民の団結を優先」と宣誓した。ところが発表された施策は「団結」ではなく「分裂」を促進するものばかりだ。

なによりの驚きはツイッターやフェイスブックがトランプのツイッターなど通信手段を封鎖したことであり、アメリカに全体主義が甦った。

これには反トランプのメルケル独首相さえ、「表現の自由の制限を運営会社の経営陣がするのはおかしい。これができるのは立法者だけである」と言った。

バイデンは息子の「チャイナ・マネー醜聞」を抱えている。これが政権にとってのアキレス腱だ。中国はこの弱点を突くだろう。

中国人民大学国際関係学院副院長の翟東昇は著名な学者で中国政府との関係が深い。対外工作、対外宣伝に深くかかわってきた翟教授が何を発言したか。

1　1992年から2016年まで（トランプ登場前まで）、米中間でどんなに深刻な問題が起きても、われわれ（中国）はそれをコントロールすることができ、米中関係はわれわれの「手の内」にあった

2　その最大の理由は、アメリカの上層部にわれわれの味方の人間がいること、米国の権勢核心層に中国の老朋友がいる

3　アメリカの政治エリート上層部をわれわれにつなげるのはウォール街であり、米国の政界と権力中枢に強い影響力を持つウォール街はわれわれの味方である。

そのうえコロナ禍で親中派のバイデンが大統領となった。

「バイデンの息子はあちこちでファンドをつくって商売しているが、誰が彼のためにファンドをつくってあげたのか。その背後にあるのは『取引』だ」と翟教授は堂々と自慢したのである。

つまりバイデンは隠れパンダハガーだ。

就任して僅か10日間で、バイデン大統領はトランプ前政権の政策をひっくりかえす大統領令40本に署名し、アメリカの有権者の多くが、そのあまりの拙速に吃驚した。

2万5000人の州兵が厳重に警備しての就任式光景を見ていて、秀吉の醍醐の花見の異常な風景との酷似を連想した。慶長3年（1598年）3月15日、秀吉は京都醍醐寺において1300名の招待客を招き、茶会、舞踊などの花見を行った。庶民の祝意はどこにもなかった。伏見城から醍醐寺までの沿道ならびに寺の周囲を警備したのは3万人だった。いかに信長政権をよこから簒奪した、合法性の希薄な秀吉が、暗殺を怖れていたかが推量できる。バイデンもまた不正投票の結果、大統領選を簒奪したと考えているアメリカ人は多い。

また注目点は議会と閣僚のなかにユダヤ人が多いことだ。上院議員100名のうち10名。下院でも435名のうちの27人がユダヤ人議員である。ユダヤ人閣僚はアントニー・ブリンケン国務長官（バイデンの外交顧問を長く務めた）はイランと核合意の再開に前向きである。ウェンディ・シェルマン国務副長官はオバマ政権でイラン核合意を進めた。この国務省のトップ人事をみてもバイデンはオバマのレガシーであるイランとの核合意を破棄したトランプの決定をまたも覆し、中東政策をガラリと変更する腹づもりだ。げんにイエメンにあってイランの支援をうける「フーシ派」を2月6日に、バイデンはテロリスト・リストから外した。サウジアラビアは激怒した。

就任直後にバイデンはパリ協定復帰に署名し、またカナダからニューオーリンズへかけてのガスパイプライン建設に中止命令をだした。産業界、とくに石油ガスなどのエネルギー産業をバイデンは明確に敵にまわした。業界はすぐに提訴したため裁判は長引くだろう。

一方でバイデンは就任式に台湾の駐米大使・蕭美琴を招待した。

トランプ前政権は台湾旅行法，ＴＡＩＰＥＩ法、台湾防衛法を連続して成立させて台湾に肩入れした。２０２０年にはアザー厚生長官、クラック国務次官を訪台させ、クラフト国連大使も台湾訪問を予定していた。急遽、国連大使の台湾訪問は中止になったが、台湾は国連に加盟していないから重大な外交政策の変化なのである。訪台中止となってクラフト大使は蔡英文総統に電話した。また台湾国会は「台湾の国連復帰を目標とする法案」を与野党一致で可決している。国民党が従来の原則（中華民国としての復帰）から逸脱し、台湾独立色をはじめて滲ませたのだ。

バイデン新政権でも台湾政策は現在のところ、変更がなく、「地域の安定と平和を脅かす中国の武力的威圧は地域の安全に脅威である」とし、トランプ政権が決めた武器供与の停止やキャンセルには至っていない。1月下旬には空母「ルーズベルト」を旗艦とする米海軍空母打撃群が南シナ海へ入った。続いて、ニミッツも入った。2月初旬には駆逐艦隊を台湾海峡へ入れて、中国海軍の目の前を通過させた。

バイデンは自らのホンネとは裏腹に、前政権の対中強硬路線継続をしばしジェスチャーとして堅持する。自らの中国とのスキャンダルを隠蔽したい思惑がちらつく。

オバマ政権のときに20ドル札の肖像画はハリエット・タブマンを採用することを決め、2020年に新札発行が予定されていた。現行20ドル札紙幣は第七代米国大統領アンドリュー・ジャクソンで、トランプ前大統領はオバマ時代に倉庫入りしていたジャクソンの肖像画をふたたび執務室に飾り、20ドル新札発行を2024年まで延期した。

バイデンはこのタブマン新札を急がせる。ハリエット・タブマンはメリーランド州ドーチェスター郡出身の奴隷だった。その後、奴隷解放運動家となり、ついで女性解放運動も展開したため「黒人のモーゼ」と言われた。

## ウイグル弾圧をジェノサイドと断定

米国はウイグルの弾圧を「ジェノサイド（大虐殺）」と正式に認定した。

国務長官指名を上院で承認されたブリンケンは初の記者会見で、対中政策に変更はないこと、トランプ前政権の最終盤で、ポンペオ国務長官が、ウイグルにおける弾圧を「ジェノサイド」と認定したが、ブリンケンは「この認識に変わりはない」とした。つまり対中国政策に関して人道主義を前面に出すトランプ路線を継承すると明言したのだ。

シリア内戦時、テロリストのＩＳ（イスラム国）に走ったウイグルの若者は１０００名前後と言われた。東トルキスタン独立運動（ＥＴＩＭ）系の過激派は、中国共産党に「血の復讐」を誓い、中国人民解放軍に戦いを挑めとビデオを配布した。恐怖心にかられた中国は、シリアなどへ特殊工作斑を派遣した。ＩＳ幹部に武器を流すなどを条件にメンバーのなかのウイグル族を割り出した。また情報筋によれば戦闘のいちばん激しい地区に彼らを配置するように工作したという。中国は自分たちが次のＩＳの標的になることを危惧したのだ。

中国の異常な警戒感はウイグルの監視強化、取り締まり、過激派とつながる可能性のある若者を拘束し、海外に留学する若者も帰国させ、ほとんど全員を拘束した。街中は監視カメラだらけ。拘束を逃れたウイグル族の活動家らはトルコに拠点を移動させた。

不思議なのは、このウイグル弾圧、ジェノサイドに対してのISの沈黙である。

第一にISの戦略的な、組織的な沈黙は、米軍の撤退を睨んでのことである。つまりトランプ政権が進めたようにアフガニスタンとイラクからの米軍の撤退が予定通り続けば、いずれ軍事力、ゲリラ対応部隊のバランスが崩れ、ISにとっては再びチャンスが来ると計算しているからだ。

第二にウイグル自治区における監視態勢は潜入を難しくしてしまい、反政府工作員との連絡もままならず、秘密アジトのほとんどが摘発されて武器の搬入が難しい。

第三に本来なら支援に廻るべきイスラム国家が中国のカネに沈黙を余儀なくされており、兵站基地となる可能性は望み薄である。

第四はトルコのエルドアンが反米、親ロシア、そして中国のカネに期待して、中国が条件とする一部のウイグル族の送還にさえ応じかねないことだ。トルコはウイグル族と同じチュルク系であり、これまでは同情的だった。しかしトルコでも監視が強まったことで、活動家はイスタンブールの拠点を捨て、ミュンヘンに移動した。

第五にバイデン政権が人権を優先するということは、国連重視で多国間の協調を旨とする目的があり、時間がかかる。国連の工作は中国が一枚上であり、国際社会からのウイグル独立支援は望み薄であろう。

こうみてくると中東で注目はトルコ、そして対応能力の鈍いバイデン政権が、どういう中東外交にでてくるか、にかかっている。

## 西側は中国に完璧に騙されてきた

レーニンは「奴らは自分を吊すロープを自ら売りにきた」とすこぶる示唆に富んだ言葉を吐いた。

トランプ政策で多少の変化はあったものの中国の対米輸出黒字は2018年が4195億ドル。それが2020年に3108億ドルに微減したに過ぎない。

アメリカも日本も中国にまんまと騙されて技術を開陳し、中国の技術向上のため協力を惜しまなかった。気がつけば中国はこれらすべてを軍事力向上に転化していた。いまやG

DP世界第2位ばかりか軍事力でも欧米、ロシアに次ぐ軍事大国となっていた。

日本製鉄は最新鋭の鋼板技術（電磁鋼板）を中国に供与した。

日本がいくら高付加価値品を開発しても、すぐに中国に技術移転され、そこに中国政府の産業補助金制度が有効に機能してダンピングが始まり、日本の競争力は無力化する。すでに悪影響が跳ね返り、トヨタが中国産の自動車鋼板を使い出した。日本の製鉄産業は君津や福山で高炉を減らし、大量の労働者解雇。いまや深刻な事態なのである。

ようやく日本政府は重い腰をあげて、外為法を改正した。

日本のハイテクの中枢技術が海外に容易には移転できなくなって日本企業の雇用を守る目的も果たせそうである。


中国の一帯一路プロジェクトはどこまで死んだのか？

レアアースを中国は貿易戦争の武器にする方針を固めた。その一方で石炭、鉄鉱石の輸入元の代替、多元化に躓いたことが明るみに出た。

ブラジルの山奥に100億トンの鉄鉱石埋蔵が確認された鉱区が3つある。パラー州（北部）、ピアウィー州（北東部）、そしてトカンティンス州（中部）には相当の鉄鉱石の埋蔵があるが、積み出し港への道路が悪い。ブラジル政府官僚主義の手抜きもさりながら、交通運搬のアクセスが悪く、投資効率を計算すると元が取れないので放置されたまま。

コロンビアと南アフリカの不便な場所に、良質の石炭を産する鉱区がある。これまた開発するには膨大な費用と歳月を必要とする。中国が開発プロジェクトに二の足を踏む。

中国が開発にでるか、どうか。世界が注目している。すなわち豪との貿易戦争の悪化で、豪産の鉄鉱石と石炭の輸入を激減させ、中華思想を高らかに吹いてしまったから急激に石炭不足という事態に陥ったのだ。

日本と米国にも中豪関係と似たような矛盾構造がある。

世界最大のレアアース埋蔵は米国である。だが、産出から精錬のプロセスで、環境汚染と労働条件の劣悪さが批判の的となり、米国企業は開発を躊躇している。これまでは「穢い仕事はほかの国にやらせればよい」とする資本主義の論理で、中国からの輸入に依存してきた。ましてやバイデンはパリ協定に復帰したため米国内のレアアース鉱山開発は絶望的だろう。

とはいうものの、中国の目玉プロジェクトの崩壊が本格化した。

中国の鳴り物入りのプロジェクト「一帯一路」の一環として、アフリカ23カ国へ貸し付けた21億ドルが案の定、償還できずに「焦げつき」となった。

コロナ禍によりアフリカ諸国も大不況のどん底にあるが、デフォルトを真っ先に宣言したのはザンビアだった。目の前の利払い、ザンビアだけで4250万ドルが焦げ付いた。最初から予測されたことで、「借金のワナ」に陥落したのだ。中国は稀少金属鉱区を担保でおさえてはいる。

鳴り物入りのエチオピア～ジブチ間の鉄道は運賃収入が4000万ドル、ところが維持運営コストが7000万ドル。小学生が考えてもこんな無謀な赤字鉄道を何時まで維持できるか疑問とするだろう。

無謀なプロジェクトの典型がケニアから南スーダン、ウガンダ、ルワンダを鉄道でつなぎ、コンゴの山奥へ（コバルト鉱区がある）裏道からつなげる鉄道プロジェクトだ。2018年に完成する予定だったが、現在、工事はケニア国内で留まっている。

モンバサからナイバシャまでの工事区間で既に47億ドルが投下された。その先の湖沼《こしょう》地帯への工事を「続ける」と中国政府は豪語しているけれども肝腎の中国輸出入銀行は追加融資を躊躇っているため工事続行は絶望的である。

ケニアは海岸に貿易港（モンバサ）をもち、ウガンダ、ルワンダ、南スーダンのような内陸国家ではないから経済的には順調な成長を遂げてきた。そのケニアでも四半期ごとの中国への利払いが3000万ドルである。

アフリカ東海岸地域の「経済の優等生」＝ケニアとて、特産品はコーヒー。GDPは965億ドル。経済の離陸にはまだまだ遠い。

パキスタンのバロチスタン地方は、最貧地帯、州都クエッタは中国人の進出が多く、拉致誘拐事件、殺人事件が起きたためチャイナタウンは警戒を強めていた。2020年にはイスラマバードやカラチと並んで、このバロチスタン地区が武漢コロナに汚染され、4月に都市封鎖となった。

グアダール港は中国の凄まじい投資によって軍港に化けつつある。中国人の宿舎や工事現場がバロチスタン独立運動の武装集団の攻撃目標とされているために、ここでは治安維持を目的の都市封鎖である。

スリランカのハンバントタ港が「借金のワナ」に陥没して、スリランカ大統領さえ立ち入りのできない中国軍港に化けたように、あるいはジブチには公然と中国人民解放軍1万が駐在しているように、パキスタンの重要拠点であるグアダールは事実上の中国軍駐屯地、付近の住民は中国人に憎悪を募らせてきた。

相手にプロジェクトを持ちかける際に、中国は当該国家の指導者に特別の便宜と、巨額の賄賂を渡し巧妙に借金の罠に陥れ、担保権を行使してきた。スリランカのハンバントタ港もジブチの中国人民解放軍基地も、中国の世界戦略を実現する橋頭堡となった。

風向きが変わった。

借金のワナと知った新興諸国が、中国を信用しなくなった。

マレーシアは「マラッカ・ゲートウェイ」構想を白紙に戻し、新幹線はばっさりと縮小して首都圏周辺のみの工事をちんたら続行。インドネシアは中国にまかせた新幹線が完成予定を大幅に延ばしているが、完成の目処が立っていない。

そしてシンガポールはマレーシアをつなぐ新幹線プロジェクトを中止すると発表した。

こうして世界中で中国の野望が暴かれ、排斥されている。習近平の看板が泥にまみれているのだ。

さはさりながら国際政治学の基本から言えば主権国家として異形なかたちが日本である。もし日本が独立国家であるなら外国軍の存在は国益に適っているとは言えず、ちゃんとした自衛力の保有が急がれる。

おりしも大河ドラマの主人公は渋沢栄一である。日本経済復活の可能性を考える際に、きわめて参考になる経済人だ。渋沢栄一は一貫して高い志を失わず、私利私欲に走らず、国家の発展を考えた英傑だった。どんな時にも国のためにつくすという公の志を貫いた。

大河ドラマが渋沢栄一、映画になったのは二宮金次郎。文学、歴史では古典や古事記の静かなブームが起きている。日本経済の復活はこのような独立精神を見直す潮流が本格化したときに始まるだろう。

## はじめに　アフター・コロナ、世界リセットの衝撃――宮崎正弘



## 第1章　米国版文化大革命で分断か戦争か

## 第2章 アリババ帝国崩壊で自滅する中国経済

# 第3章――日本経済5大リスクと勝機《チャンス》

第1章

# 米国版文化大革命で分断か戦争か

## 米国民主党も分裂

**渡邉**　米国大統領選の混乱といい、２０２１年は武漢発の新型コロナによるパンデミックに見舞われた20年を上回る大変な1年になりそうです。米国大統領が確定するまで本が出せないほど事態が不確定要素で逼迫していた。1月20日にバイデン大統領が正式に決まり、決選投票になっていたジョージア州の上院２議席も民主党が取り、大統領、上院、下院がすべて民主党といういわゆる「トリプルブルー」になりました。普通に考えれば民主党政権が圧倒的有利な情勢ですが、これからどうなるかはわかりませんね。

**宮崎**　だいたいバイデン大統領は「認知症」の疑いが晴れていないでしょ。年も78歳でよぼよぼ。画面を見ていても力強さがまったく感じられない。世界一の軍事大国のトップがこれで良いの、って怖れを感じます。バイデンに比べたらトランプは74歳だけれども非常に若々しいじゃない。演説も迫力があって力強いしね。これまでのアメリカの選挙というはだいたい最後はイメージで決まり、たとえば背の高いほうが勝つといわれていたのにひっくり返った。というか、「不正」の問題もありますが、それ以前に、コロナ禍で経済が悪化すると現職の大統領が大敗するというのが、米国の歴史です。フーバー大統領やカーター大統領は大敗した。92年にも湾岸戦争で89％の高い支持率があったブッシュが、アーカンソーの「馬の骨」（ビル・クリントン）に負けちゃった。そう考えればトランプはもっと負けたとしてもおかしくはなかった。コロナ禍を加味すればある意味、民主党の大敗といっていい結果です。

**渡邉**　上院は民主党が支配することになったといっても、あくまでも50対50であり、同数の場合、副大統領が１票を投じることができるというだけで、民主党内に造反がでればそれも覆る可能性がある。

また、安定多数の60議席を持たない限り、共和党によるフィリバスター（議事妨害）も可能で、法案などに関しては共和党との一定の調整が必要になります。下院が決定権を持つ予算や財政案件に関しては、民主党が握ったと言っていいでしょうけど。

結局民主党も一枚岩ではなくて、反トランプでまとまっていただけで、左傾化しています。逆にいえば、バイデンしか中道で抑えられる候補がいなかった。しかも選挙はバーニー・サンダースやオカシオ・コルテスといった極左のほうが強い。

副大統領に就任したカマラ・ハリスは初の女性副大統領ということで、注目されていますがやはり極左であり、民主党を一本化するために極左を取り込まなくてはならない党内の現状を表しています。

**宮崎**　民主党の正体は怪しいかぎりだけど、オカシオ・コルテスなんて、ほんとオカシイ。

**渡邉**　バイデンがハリスを指名したのは、自らが白人の男性であるということから、有色人種、カラードの女性を副大統領に選ぶと表明してきた。

しかしハリスはたしかに黒人なのだけれど、ブラックの主流であるアフリカンブラックではありません。

**宮崎**　父親がジャマイカで母親がインドですからね。インドのメディアは嬉しそうにはしゃいでましたよ。

**渡邉**　ですから厳密な、いわゆる被差別対象的な意味での黒人層ではないし、コミュニティもまた違う。

さらにいうと、ハリスの旦那さんはユダヤ系の白人で、チャイナ系やエスタブリッシュメントといった富裕層向けの弁護士をビジネスにしています。つまり、ぜんぜん貧しくもなければ、差別を受けているような、いわゆる「弱者」の階級でもない。

さらに環境問題とか極左的な政策で注目を集める一方で、彼女が地方検事から出世できた理由は、政界の実力者である当時のサンフランシスコ市長の愛人だったとされています。不倫関係により、高級車や、キャリアアップにつながる職責などの便宜供与を受けたとされています。

したがって、ハリスが表向き謳っていることと、やっていることが正反対なのです。ハリスは象徴的ですが、このような構図は民主党全体についていえることで、偽善にすぎない。

しかし、こうした偽善に踊らされた米国人が多かったというのも残念ながら事実なのでしょう。

**宮崎**　実際問題として、民主党政権によって貧困層救済につながったのかといえば、逆なんですよね。黒人の失業率はオバマ政権前のブッシュ政権やその後のトランプ政権のほうがオバマ政権時よりも低く、同政権は９・５％もあった。

バイデンにしてもデラウェア州に豪邸を建てたでしょう。あれ、十数億円ぐらいするらしい。

そしてオバマはカリフォルニアに豪邸を建てたでしょう。あれっ？　貧者の味方じゃなかったの？　同じ穴の貉《むじな》で、いうこととやっていることが矛盾している。

こういうことに偽善を感じないというのは、アメリカ人の感性が鈍ったのか、それともよっぽどトランプが嫌いだったのか（笑）。

**渡邉**　米西戦争だって、きっかけはアメリカの艦船が襲撃されたことにして、戦争を始めた。真珠湾攻撃もそうでしょう、戦端をひらく口実つくり、トリックという仕掛けはアメリカの得意技です。メディアに踊らされた部分は、ものすごく大きかったと思いますよ。それは、いまも続いている。1月6日の「トランプ支持者による議会占拠」も反トランプのアンティファのメンバーが紛れ込んでいたともいわれており、必ずしも「トランプ支持者」と言い切れない側面もある。また、それを直接トランプが支持したわけではないわけです。

**宮崎**　メディアは「史上二度も弾劾訴追を受けた大統領」と報じましたが、「2回も弾劾訴追に失敗した民主党」という視点はスッポリ抜け落ちている。トランプの発言にどれだけフェイクがあったか数えるのは勝手ですが、トランプに対するロシアゲートやウクライナゲートが民主党やリベラル・メディアが、でっち上げだったことへの考察や反省が一切ないのでは片手落ち。というより、偏向にしても露骨すぎる。ま、こうした戦術はレーニンに学んだのか、アメリカの左翼が得意とするところです。

**渡邉**　ですから、バイデン政権が誕生し、本来勝てば官軍のはずなのに米国の有権者の3割近く、共和党支持者に至っては7割以上が不正に政権を得たと考えている状況にある。当然、不当性を信じる人たちの反発は強く、米国は新たな大統領の誕生を素直に喜ぶ環境にはありませんでした。首都ワシントンDCは厳戒態勢であり、ほぼ無人の状況になっている。その一方で、メディアはお祭り騒ぎを演じ、虚構と現実の落差があまりにもありすぎる。

また日本のメディアも酷くて、米メディアの報道をそのまま垂れ流している。

**宮崎**　産経新聞のワシントン支局長がトランプの「勝利宣言」を暴挙だと論じたことに対して批判が巻き起こった。「産経よ、お前もか」と。結局、米政権中枢とのパイプが日本のメディアにはなかったということでしょう。

## ついに「独裁企業」の本性を顕わにしたGAFA

**渡邉**　議会乱入を受けて、ツイッターなどはトランプ大統領のアカウントを凍結し、それが保守勢力からの強い批判にさらされています。米国のオールドメディアは国家分断を図るトランプへのやむを得ない処置だとしますが、決してトランプといい関係にないドイツのメルケル首相はこれを言論の自由を踏みにじるものだと批判しております。

代替となる保守系のSNS「パーラー」も、アップルやグーグルがアプリストアからアプリを削除しクラウドを提供するネットサービス会社もサービス提供を停止したため、利用できない状態になりました。これに関しても言論弾圧であると批判が強まっています。また、これらのビッグテックの行動は株価の暴落につながっています。

SNSに関しては、共和党側は言論の自由を盾に検閲行為を批判しており、民主党側はヘイトや暴力行為などへの扇動であると批判し、まったく異なる価値観の対立の中で、ビッグテックは左右どちらからも大きな圧力を受ける形になっています。

今後、民主党政権によるさらなる言論弾圧が行われるのではないかと懸念されています。

**宮崎**　仮にもトランプは世界ナンバー1の覇権国家の大統領だったのであり、1億人近くのフォロワーを持つアカウントがことごとく削除されるのは異様ですよ。前代未聞だ。これって、民主主義国家で起こりうることなんですね。中国版グーグル「百度」に天安門事件などがないように、まるで中国の全体主義システムとそっくり。

**渡邉**　ところで、先日退任を発表したアマゾンの創業者でありトップであったジェフ・ベソスですが、大統領選での郵便投票における不正については「デマ」としながらも、自社の労働組合による投票では、郵便投票は不正が起きるからダメだという見解をしめしています（笑）。

不思議なことに日本では採用されていない郵便投票の問題点をトランプの言い分から指摘する意見が、日本のメディアや識者からほとんど見られないことです。

また、不正があったとしても票をひっくり返すほどではないから問題がないというのもおかしい。日本なら1票でも不正が発覚したら大騒ぎになるでしょう。まぁ、それがアメリカともいえるのかもしれませんが。

それはともかく、私はＧＡＦＡのようなビッグテックの本性は帝国主義であるといろんな本の中で書いてきましたが、トランプへの露骨な言論弾圧をみるとさすがに驚きを禁じえない。「独裁企業」の本性をついに現した観があります。

## ＧＡＦＡを襲う訴訟地獄

**宮崎**　ジェフ・ベゾスはＣＥＯを降りちゃった。ＧＡＦＡは司法省や、各州の司法当局から「独禁法」違反で提訴されており、マイクロソフトの和解から10年、ＧＡＦＡの裁判闘争も長期化が予測されている。

なにしろグーグルとフェイスブックは反トランプの急先鋒、ところが独禁法で訴えているのは民主党系が多いというのも皮肉ですね。

**渡邉**　私は『冷戦大恐慌　どうなる世界経済』のなかでも指摘しましたが、ＧＡＦＡのようなビッグテックを育てたのは民主党・クリントン政権（１９９３―２００１）です。それで今頃になって規制しろというのはどの口が言うのかと。

おっしゃるとおり、ＧＡＦＡについては、米国での反トラスト法違反に対する訴訟に直面する中で、欧州でも圧力が強まっているのですよね。ＥＵはＩＴに対する２つの規制法案を審議中であり、税制上や過去の違反行為に関する監視も強化されている。

インターネットという国境のないプラットフォームを利用して拡大してきた各社ですが、それが企業の運営を難しくしているという側面がある。

国により価値観が異なり法規制も違います。それぞれの国の規制に対処するためには個別の対応が必要であり、１つのプラットフォームでそれを行えば、各国に規制によりがんじがらめにされてしまう可能性がある。

**宮崎**　アメリカの弁護士で腕利きは独禁法のプロが多い。なぜならディープ・ポケット（金持ち）を狙えるからです。このあたり、じつにあざとい。

**渡邉**　またＧＡＦＡは、関連業種を買収することで拡大を続けてきましたが、それはそれぞれの規制がすべてに及ぶことを意味し、顧客の抱え込みや独占に関する規制の対象になることを意味する。

たとえば、グーグルの親会社アルファベットは、検索エンジンであるグーグルをはじめ、ユーチューブなど各種プラットフォームからアプリ、ブラウザまでさまざまなサービスを提供している。また、広告代理店も自社で運営しており、主に広告収入でその運営コストを出している。しかし、この構造は他社の営業活動に対して、不当に有利な環境であり、自社への誘導や広告収入を目的とした検索ランキングなど、情報を操作することができる地位にあるわけです。

また、ライバル業者や将来のライバル候補を買収するモデルは、独占や寡占を招いており、独禁法違反に該当するとされている。

そして、これは事業活動を行うすべての国でそれぞれの規制の対象になりうることを意味しています。

この問題の解決のためには、各国に子会社をつくり、それぞれ別の対応をすることが必要になるわけですが、それを行えば、運営のみならず、各国への納税や雇用に関する法規制への対応コストが膨大なものになり、いまの利益を維持することはかなり難しい。また、各国で運営がバラバラになれば、規模のメリットも享受できなくなります。

この問題ですが、すでにオーストラリアで大きな問題になっています。オーストラリア政府は、グーグルやフェイスブックなど大手テクノロジー各社に対し、ニュースコンテンツを提供する企業にロイヤリティーを支払うよう義務づける法案を提出しました。これまでビッグテック各社は、自社の検索エンジンなどを通じ、ニュースを配信してきました。そして、その利益を自らのものにしてきたわけです。これに対して、今回の法律はその利益をニュースの配信元と分かち合えというものです。これに対して、グーグルは、オーストラリアでの検索事業からの撤退をちらつかせ、オーストラリア政府に法律の廃案を要求しました。これにオーストラリア政府は激怒したのです。そこに、マイクロソフトが助け舟を出す形で自社の検索エンジンでの協力を確約しました。

**宮崎**　GAFAは大きなジレンマに陥っている。グーグルは、検索エンジンの92％（米国内では95％）をほぼ独占しています。

また、グーグルのOSであるアンドロイドと検索サービスをセットにしていることも問題視されている。グーグルはアンドロイドは無償で提供していると反論しているが、アップルに年間120億ドルを支払って、インターネット検索サービスの標準としていることが明らかにされました。したがって、司法省は独占禁止法に違反するとしているわけだ。

そしてプラウザーと提携し、競合他社を締め出したことも問題視されている。

**渡邉**　また、世界各国から税制面での訴訟を起こされているので、各国政府や国民から、税源浸食と利益移転（BEPS）に対する不満も大きくなっています。

## 国家はGAFAをどこまで追及できるか？

**宮崎**　しかし、GAFAを司法がどこまで追及できるかという問題もあります。アメリカは弁護士社会、こんな大きな訴訟は弁護士業界にとって「待ってました」といわんばかりの稼ぎ場になります。

バイデンはGAFAから巨額の献金を受け取っているうえ、回転ドアで、多くのグーグル幹部らがバイデン政権に入閣。政府高官に就くため、そうそうに厳格な態度では望めないでしょう。これは〝グル〟ともいえる。

グーグルからオバマ政権には50人が政府高官入りした。また反対にオバマ政権が終わりトランプ政権になると、オバマ政権の200人の幹部らがグーグルに席を求めた。なんのことはない、天下り先なんだよね。

経済的に見れば、GAFAは明瞭に米国経済を牽引してきた。だからこそ司法省との対決は米国経済にとってマイナス要素となります。でもそういう大局的なことを考えないのがアメリカ人です。

あまつさえシリコンバレーに蝟集するハイテク企業のトップは大半が民主党支持者。クリントン政権時代から飛躍的にビジネスを発展してきた彼らは民主党の政策を支持してきたし、今回も彼らはバイデンを支持した。マイクロソフトのビル・ゲーツも、フェイスブックのザッカーバーグもね。

なかんずく、フェイスブックのザッカーバーグCEOは問題児です。しかも夫人は中国人。中国に甘い幻想を抱き続ける夢想家は、時として社会慈善事業で売名をはかろうとする。

彼は、過去にも強引な手口でインスタグラムやワッツアップなどを買収してきています。

仮想通貨リブラを出すと息巻いてスイスに準備会社を設営したものの、米欧の中央銀行が反対して、つぶされる一幕もあった。

２０１５年には、サンフランシスコの総合病院に77億円を寄付したのはいいけれど、条件として病院の名前をザッカーバーグ病院と改称せよと要求しました。

また、カリフォルニア大学系の小児病院にも１０３億円を寄付し、病院名を改称させた。このような直截的な売名を快く思っていない医者、看護師らが「公共施設の名称を変えるのは如何なものか」と騒ぎだし、カリフォルニア州でも名声に陰りが出てきた。

かくして司法省が分社化を呼び掛けているＧＡＦＡは、ほぼ全員が民主党支持者。にもかかわらず民主党政権はＧＡＦＡを独占禁止法違反、プライバシー保護などでの司法省の提訴に賛同しているから皮肉だよね。

シリコンバレーで、例外的にトランプを支持したのはオラクルＣＥＯのラリー・エリソンだった。エリソンはシングルマザーに育てられたユダヤ人。世界大富豪十傑に入り、個人資産は７００億ドル。だからオラクルが買収しかけていた中国のＴｉｋＴｏｋの案件にバイデン政権は待ったをかけた。

エリソンはイスラエルのネタニヤフ首相とも親しく、この点でも異色の経営者といえるでしょう。

イスラエルは長年政権を掌握した労働党が弱体化し、野党となって分裂を重ねましたが、元統幕議長ガンツ率いる政党と与党リクードが連携して組閣し、ネタニヤフ首相が続投している。どうやらまたネタニヤフは選挙に打ってでるらしいけど。

特に画期的だったのは、イスラエルがUAE、バーレーンと米国の仲介で国交を回復したこと。その背後にトランプ女婿のクシュナーや、ポンペオ国務長官による精力的な中東外交があります。これまでは、エジプト、ヨルダンの2カ国しかイスラエルを国家承認してこなかった。パレスチナ問題も頑ななパレスチナ自治政府に米国などは業を煮やしてきた。

この中東地図をバイデンが元に戻すことは不可能でしょうね。

彼がやるのはイランとの核合意の復活だが、そうなると再び、米国とイスラエル関係に鋭角的な亀裂が入ってしまう。

米国内のユダヤ人は民主党贔屓が伝統的で、ハリウッドと投機家として著名なジョージ・ソロスら左派が代弁する。ところが近年は、トランプ支持のユダヤ人も増えていた。特にラスベガスのカジノ王で先日亡くなったシェルドン・アデルソンばかりか、不動産業者にはユダヤ人が多く、トランプとは同業者ですからね。

**渡邉**　ＧＡＦＡのような企業の多くは、持ち株会社やタックスヘイブンなどをうまく利用し、国境を跨る取引を繰り返して、各国の税制上の穴を付く形で、税金を納めてこなかった。こうした状況に対する規制も強化されており、米国と欧州などの係争の対象にもなっているわけです。

**宮崎**　それと、ビッグデータの問題があるでしょう？

**渡邉**　単なる民間企業がビッグデータと呼ばれる膨大な個人データを集めており、それを自社の営業に使うとともに他社に販売していることに対しても、規制の動きがはじまってきています。

こうした企業は、検索結果、購入履歴、住所や個人情報、クレジットカード番号まで収集しており、それを自社の営業に利用している。これが敵対国などに売られた場合、恐喝や詐欺などの犯罪に利用される可能性もあります。

これはある意味、欧米などのファーウェイや中国通信サービスの規制と表裏一体のものであり、安全保障にかかわる問題。また、寡占化が進んでいて、利用者がほとんど選択できない環境が生まれていることも大きな問題になっています。利用者に選択の余地がないこと、これこそが規制の大きな要因ですね。

## バイデンの政策は文在寅と同類

**宮崎** 就任式直後から議会承認の要らない政策変更を大統領令でバンバン発動した。2月2日までに署名したのは、じつに43本！ バイデン政策をどうご覧になりますか？

**渡邉** 1兆9000億ドルの財政出動を謳い、国民への給付金やコロナ対策が目玉であり、耳当たりのよい政策が並んでいますが、具体的な政策メニューは乏しく、実際の実現可能性ということになるとかなり難しい。

最低賃金を15ドルまで引き上げるというけれど、そんなことをしたら国際競争力を失います。

現在の韓国の政策とある意味類似しており、私は「ムンモデル」と名付けていますが、「絵に描いた餅」になる可能性が高い。日本の政権交代の際の民主党の政策とも共通する。

しかし、ここでいちばんの問題になるのは、環境対策であり、2兆ドルにもおよぶグリーンニューディールと化石燃料等に対する補助の停止でしょう。米国の場合、GDPの

５・６％程度を石油産業が担っており、直接雇用だけで１０００万人以上の従業員がいるわけです。

これはいまや産油国となった米国がその優位性をわざわざ自ら捨てることを意味し、大量の失業者を自ら生み出すことになる。

**宮崎**　日本ももろに影響がでて、住友商事はアメリカのシェールガス事業から完全に撤退します。

**渡邊**　２０２０年の12月に、トヨタの社長が懸念を示しながら文句をいったように、たとえば電気自動車（ＥＶ）に全部切り替えるというような話になってくると、当然、従来型の自動車メーカーは、リスク率も含めて劣勢に立たされる。

結果的に失業者が膨大な数になる。そうなれば、民主党の最大支持母体である全米自動車労連なども、強く反対するでしょう。

共和党が支配する州などではそれを否定する動きも活発化している。すでにテキサス州などは移民の緩和を違憲とし提訴しており、連邦と州との対立が激化しつつある。

コロナの影響下でこれを強行すれば、経済へのダメージが限りなく大きい。そして、ただでさえコロナ対策で膨大な支出をしている中で、この財源をどうするかという問題も生じます。

また、富裕層や大企業への増税も、方法を間違えれば、逆に米国からの離脱を招きかねない。

やはり民主党とってネックは極左勢力の台頭であり、彼らの非現実的な要望が強まることだと思います。

**宮崎**　要するにバイデン政権は、「オバマ3・0」ですからね。オバマは何をしたかというと、シェールガスの開発を規制し、なおかつ、州をまたぐパイプラインの施設規制を強化して、事実上パイプラインの敷設をできないようにした。バイデンはその時の副大統領ですから。また同じことをやると思う。と言っている間に、2月までにやっちゃった。

**渡邉**　スタッフ自体がやき直しですからね。ただ、ちょっとだけ期待するのは、オバマバージョン1だとまずいけど、バージョン2もあったことです。さすがに二期目のオバマ政権は、左傾化し過ぎた政策を少しずつ修正をかけていましたから。

ところが、今回上院を民主党が事実上支配しちゃったので、極左の力が強くなる。一期目のオバマに近くなるとやばいなと、個人的には思っています。

## どこまで変わる対中政策

**宮崎**　ＥＶについては後程詳しく話をするとして、バイデン政権で多くの日本の保守派が心配しているのが、対中政策がどう変わるかでしょう。

幸い台湾政策はいまのところ変更がない。「地域の安定と平和を脅かす中国の武力的威圧は地域の安全に脅威である」とし、トランプ政権が決めた武器供与の停止やキャンセルには至っていない。そればかりかバイデン大統領は就任式に、台湾大使（北米代表処代表）を招待しています。

蕭美琴・台湾駐米大使は神戸生まれ、岐阜県の郡上八幡にホームステイしたこともあって日本通でもある。しかも彼女は蔡英文の側近中の側近です。

情報筋によれば、空母「ルーズベルト」を旗艦とする米海軍空母打撃群が南シナ海へ入っています。２月には駆逐艦が台湾海峡を通過した。国務省スポークスマンのネッド・プライスは「これは通常の自由航行作戦の一環であり、米国は民主台湾と地域の安定のために協力してゆく」と述べた。

他方、バイデン政権は中国への具体的な政策を発表しておらず、パリ協定離脱、WHO脱退、メキシコ国境の壁建設、イスラム諸国からの移民制限など、トランプ政権が決めた30の政策に関しては、180度反対の大統領令に署名し、露骨な反トランプ路線を驀進中ですが、中国との貿易、投資、関税、技術移転規制、ヴィザの発給制限、孔子学院、中国軍企業への投資禁止など一切の強硬路線を変更する構えをみせていない。

ここでジェイク・サリバン大統領補佐官の言動に注目する必要があると思います。

彼の就いたポストは大統領に国家安全保障上の政策助言をする司であり、かつてのキッシンジャー、ブレジンスキーに相当する椅子。サリバンはバーモント州でうまれ、ミネソタで育った。父親はミネソタ大学教授でした。彼自身はエール大学からオックスフォードへ留学、再びエールへ戻り博士号。ヒラリー・クリントンの側近として外交問題を助言し、オバマ政権ではバイデン副大統領の安全保障担当副補佐官となった。もし、2016年にヒラリーが当選していたら、当然、大統領補佐官になっていたでしょう。

バイデン当選が決まると、すぐに大統領補佐官に任命され、ただちに行動を開始しています。11月21日に日本や仏独英の当局者と電話会談。中国、イラン、ロシア、北朝鮮の問題や新型コロナウイルスへの対応を巡って意見を交換した。

11月29日には記者会見を開き、欧州との同盟関係強化を確認すると同時に中国問題に言及し、「新疆ウイグル自治区でのウイグル族迫害や香港の統制強化、台湾への圧力に対し責任を取らせる」と厳しい姿勢を明らかにしたのです。

そして政権引き継ぎに際しては前任者のオブライエン氏と会談し、中国を念頭に日米とオーストラリア、インドで形成する枠組み「クアッド」の連携を重視するとし、「中国は米国が分断しているなどと批判して民主主義は機能していないのだから中国モデルが米国より優れていると主張したが、不平等や経済格差などを是正して民主主義の基盤を立て直す必要はあるだろう」と述べています。サリバンはハイテク戦争を捉え直しており、「同盟強化とともにＡＩ、量子コンピューター、バイオテクノロジーなど最先端技術で米国が世界をリードするために大胆な投資を実施すべきだ」と発言しています。そのうえで、２月４日、サリバン補佐官は「トランプ前大統領のイラク、アフガニスタンからの撤退計画を中止する」と明らかにしており、この流れで2月6日にバイデン大統領は「イエーメンの武装集団フーシをテロリストリストから除外する」とした。

それはともかくサリバンは日米豪印４カ国の「クアッド」をたいそう重要視しており、「これはアジア版ＮＡＴＯ構築へ向けての『ミニＮＡＴＯ』である」と発言、こうした前向きの姿勢に注目すべきと思います。

しかし油断はできない。おそらく、バイデンは自らの本音とは裏腹に、前政権の対中強硬路線継続をしばしジェスチャーとして堅持して行くことで、自らの中国との金銭スキャンダルを隠蔽したい思惑があるのだと私は見ています。

実際、1月26日、米上院議会はバイデンが指名した新商務長官のジーナ・ライモンド（ロードアイランド州知事）も、公聴会で「中国との通商交渉ではタフなスタンスを続ける。アメリカの国益のために、とくに通信の妨害やハッキングなどには目を光らせる」と言ったものの、具体的な中国への制裁措置、とくにファーウェイ、SMIC、テンセントなどへの厳格な制裁措置に関して具体的言及を避けています。

「ハッキングやデータの窃取は国家安全保障上の深刻な問題だが、現時点では中国の犯行とする明確な証拠は挙がっていない」との発言もした。なんだかWHO（世界保健機関）が1年もあとになって武漢入りし、原因はわからないと言ったような茶番に似てませんか。

また、テッド・クルーズ上院議員の「ファーウェイの厳格な制限を続けるのか？」の質問に対して明確な回答を保留したので指名承認は怪しい雲行きです。

**渡邉**　同感です。バイデン政権は、対中政策の大きな転換はないとしていますが、選ばれた閣僚をみると中国との関係が深いとされる人物も多く、ファーウェイなどへの制裁の緩和などを期待する声も出ている。しかし、それに対して、議会や超党派の議連がこれを阻止する姿勢を示しているため、政権としてもうかつに動けないだけなのだと思います。

一応、バイデン政権は周辺国との協力の下で「戦略的忍耐」で中国と対峙するとしています。これは何もしないともいえますが、逆に何もできないともいえるわけです。トランプが出した各種の大統領令や関税などの対中制裁に対して、解除するためにも何らかの理由が必要であり、積極的に理由探しをするとも思えないのです。

## トランプで割れる共和党

**宮崎**　アメリカ民主党、バイデン政権がどうなるかも問題ですが、さて共和党です。トランプ弾劾をめぐって党は分裂状態ですね。

**渡邉**　共和党がどうなるかをみるうえで、トランプの動向が大きなファクターです。いわゆる「トランプ信者」は、決して減らないでしょう。トランプ新党への期待もその人気を象徴しているといえます。しかしトランプ新党ができてしまうと共和党が割れることになるので、民主党に漁夫の利を与えることになる。また、トランプもそれを望んでおらず、2022年の中間選挙での共和党への協力を約束した。トランプの脅威を理解している民主党は弾劾で共和党の反トランプ陣営も取り込んで何とかトランプの政治生命を断とうとしたわけですが、案の定、失敗に終わった。

とはいえ、トランプが次の大統領選の予備選挙で勝ち上れるかというと決してハードルは低くない。

**宮崎** 相当、難しいね。確かにトランプ陣営に寄せられた政治献金は増え続けており、4億ドルを超えたとも言われていますが、共和党主流派はトランプと距離をおいているから、いま一度、トランプが凄まじい求心力を持って再結集させるには、今後2年間にカリスマ性を維持発展させる必要があります。

トランプ新党「愛国者党」を報じたのはウォールストリート・ジャーナル紙ですが（1月21日）、共和党内主流派が意図的に流した観測気球でしょう。トランプはビジネスマンですから、そのくらいの計算はできますよ。独立して政党を作ったらロス・ペローの二の舞になって共和党は惨敗する。

**渡邊** ただし、共和党には、トランプに代わる人材が結構生まれてきている。

**宮崎**　最大のホープは共和党主流派が推すマルコ・ルビオですけれど、ペンス前大統領だって捨てたものではない。茶会系はテッド・クルーズ上院議員を再び担ぐだろうし、もしハリスが女性候補で出てくれば、対抗できるのは元国連大使だったニッキー・ヘイリーですよ。

ヘイリーはインド系アメリカ人女性として、初の国連大使であり、中国に対するタカ派発言で世界を注目させました。

「共産主義独裁の中国は、おそらく世界一の、人間性を踏みにじる悪魔的存在である」「米国民にとっての安全、利害、価値観にたいして最大の脅威である」として、共和党保守派の「ロシア、イランと同列に論じる」ことさえいけないと釘を刺しています。

ヘイリー女史は２０１６年の大統領選挙でサウス・カロライナ州知事としての著名度もあって、最初はマルコ・ルビオ上院議員を、ついでテッド・クルーズ上院議員を推薦し、トランプを終始批判し続けた。ところがトランプの当選直後、最初の指名がニッキー・ヘイリーの国連大使だったので、ワシントンに電撃的ショックをもたらした。

まあこれは、レーガンが政敵だったブッシュ陣営からベーカーを首席補佐官に任命したような人事上の椿事でもあったのですが。

その後の2年間、ヘイリーは、「アメリカ・ファースト」を掲げるトランプのナショナリズムに基づく外交を着実に推進し、中国とロシアを批判し、国連人権委員会からは脱退し、米国の国連分担金を3億ドル弱も削減し、それでいて「この2年間、国連は変貌した。米国の主張への理解が増えた」と自画自賛までした。

2018年末の国連大使辞任の理由を「休暇を取りたい」などとしたのは下手な芝居であって、誰も信じておらず、明らかに2024年の大統領選挙を視座に入れたものです。その政治キャリアから言っても、発言記録からみても、資格は十分ありますよ。

**渡邉**　あとは、ここにきて名前をあげた前国務長官のマイク・ホンペオもいいですね。

**宮崎**　ホンペオは共和党内の保守系に人気があり、急浮上した。

**渡邉**　強硬派とされるボルトンの陰に隠れていましたが、ボルトン離任後の政策を見るとボルトンよりも強硬だったという。トランプは任期終了まで政策の仕上げを進めましたが、ポンペオがその中心になって対中制裁を強化しました。さらに1月9日には、中国に配慮して長年続けてきた、米国と台湾の当局者間の接触に関する「自主規制」の解除も発表した。キャンセルにはなったものの国連大使を台湾に訪問させようとしました。

また、ウクライナ関連の制裁やアンティファに対する国際テロ組織指定、人民軍支配企業に関する米国人の投資の禁止など、できることを粛々と進めていています。

**宮崎**　ポンペオはアメリカ中央情報局（ＣＩＡ）の長官も務めていて、安全保障に関しては、しっかりしていますよ。ボルトンは勇み足すぎた。

**渡邉**　そういう面でいったら、共和党自体がトランプ、反トランプで短期的に分裂する可能性はやはり否定できません。グローバリスト的な人たちが、共和党からさらに追い出されるから。いわゆる「利権」を理由に民主党へと移っていく人たちも、この先相当数出てくると思う。

**宮崎**　もともとトランプはワシントンのアウトサイダーだったからワシントンに知り合いはいないし、頼るべきロビイストも皆無だった。そのうえ議会のベテランとは最初からそりが合わなかったんだよね。共和党内のハト派、グローバリストとはしょっちゅう喧嘩をしてきたわけでしょう。とくにオバマケアの撤廃をめぐっては、党内がまったくまとまらなかった。

ブッシュ親子やアーミテージらいわゆる「知日派」も、トランプ政権に非協力的だったし、ネオコンは終始トランプを批判してきた。

パリ協定離脱、ＮＡＦＴＡ見直し、ＴＰＰ脱退などはグローバリズムを尊重する保守穏健派（つまりブッシュ親子路線、ウォール街派）は、本音では反対だった。

直近の動きだと、トランプの弾劾裁判の合憲性について採決を求める動議を反対多数で上院本会議は否決しましたが（1月26日）、共和党から民主党に同調した議員は6人しかいなかった。

その顔ぶれも最初から反トランプだったロムニー議員、次の選挙に出馬しない意向を示すトゥーミー議員や選挙が当面先のコリンズ議員、サス議員。後父親から譲られた地盤で選挙に強いマコウスキー議員くらい。下院ではリズ・チェイニー議員が目立った。チェイニーは元副大統領の娘で、選挙のときはトランプの応援をアテにしていたのに。だから共和党からもチェイニー批判の声があがりました。

**渡邉**　共和党議員のなかでさらに民主党に移っていく議員がいる可能性がある半面、世の中は逆ブレするので、反対に民主党から移る人たちもいる。今後、その逆ブレが別の原動力になる可能性は充分にあると思います。

## 戦争の可能性は高い

**渡邉**　いちばんのリスクは、アメリカがなぜ弱体化したかというところに尽きる。アメリカの弱体化の原因は、冷戦の終結です。つまり米国という国は、「強大な敵国」が必要で、敵がいなくなれば本体も弱くなる。冷戦後、グローバリズムが拡大する中で、米国はようやく「イスラム過激派」というアメーバ的な形のない敵を生み出しましたが、国対国という従来の戦争の構図と異なり、はっきりとした勝利もしなければ、ただ出費だけがかさむ、得ることのない戦いであることが明確になりました。

国対国の戦いであれば、その賠償金や領土など和平交渉で得るものが存在するわけですが、形のない敵ではそれがない。

**宮崎**　冷戦に終止符を打たせた功労者は、２月に１００歳に亡くなったシュルツ国務長官の尽力が大きかった。その後、ブッシュ政権からクリントン、ブッシュ・ジュニアと引き継がれるのですが、イラン・イラク戦争の後、湾岸戦争、イラン、アフガニスタンでの戦いで米国は消耗してしまった。かなり疲れ切っていた。その疲れたスキをついて、中国がのしあがってきたのです。

**渡邉**　米国にとっての、世界覇権の挑戦者が中国であり、覇権の略奪を許すことは米国の存在そのものも揺るがすものになるということが明確になり、米国が対応を迫られたのはオバマ政権の二期目になってからです。

トランプ政権になってからのことではないわけです。トランプは、前の政権が未解決にした問題の対処を進めたにすぎず、その速度を速めたにすぎません。

そういう状況の中で、公然と米国の前に立ちはだかったのが中国という敵。これはコロナ同様、国民のコンセンサスが得られる敵なのですね。

アメリカが共和党、民主党を問わず、1つになれるというものがあるとすれば、敵国との戦争しかない。アメリカは戦争のときには、共和党だから、民主党だからという戦い方はしませんから。ユナイテッド・ステイツ・オブ・アメリカとして戦います。

そういうことを考えると、ある意味、戦争というのは、アメリカの正義の名の下に、アメリカを1つにまとめる道具なのですよ。

そういう意味では、戦争以外アメリカが1つになれないという状況まで追い込まれた時には、無能なバイデンだからこそ、無能であるが故に外部に敵をつくって、自分の地位を維持しようとする可能性が非常に高い。

**宮崎**　歴史を見れば、戦争をやるのは、だいたい民主党政権だということがわかる。大東亜戦争はルーズベルト、ベトナム戦争も、ケネディとジョンソンの時でしょう。アフガンを泥沼にしたのもオバマ政権でした。戦争が、好きなんだよね。

**渡邉**　そう考えると、米国仮想敵国であろうが、なんであろうが敵というものを生み出さなくてはならない。

しかし、いまの状況でアメリカと対峙できる敵は、もうロシアではないですから、中国しかないのですね。日本も敵にならないし。

**宮崎**　中華思想のかたまりが爆発して、いまの状態が起こっている。

そもそも中国というものは、相当、強がりだからね。はったり演技がうまい。実体は、張子の虎みたいなものだとしても。

先ほど、戦争をするとアメリカは団結する、という話が出ましたが、カリフォルニアが入ってくるかどうかは別問題。ひょっとするとカリフォルニアは、アメリカ合衆国から出ていくのではないかな？

もう1つ、出ていきそうな州がジョージア州。ジョージア州は、今回の大統領選挙においても0・5%かなんかで勝っちゃったじゃない？　ジョージアというのは、常に裏切る州なのですよ。

**渡邉**　南北戦争でもそうでしたからね。

**宮崎**　南北戦争でも南軍について、その前、独立戦争のときは、まずイギリスについた。だからジョージアが裏切ると、反対のことがはじまるというジンクスがあるという人もいるのだけれど、ひょっとしたらあたっているのかも……。あの偏向報道のCNNも本部はジョージア州アトランタにあります（笑）。

**渡邉**　それは、「韓国と手を結ぶと負ける」とか、「イタリアと組んじゃいけない」というのと同じじゃないですか（笑）。

**宮崎**　似たところがありますよ。

だいたいジョージアのピーナッツつくっていたおっさんが大統領になった。それがカーターで、アメリカが無茶苦茶になった。アメリカの没落がはじまったというのは、やはりカーターからでしょう。

**渡邉**　民主党ですね。

そう考えると、戦争リスクとか紛争リスクというのが非常に高くなっていく、熟成されていくのも民主党政権。

オバマ二期は、中東においても、アジアにおいても、紛争リスクをものすごく高めてしまった時期なのです。

なぜかというと、イランと手を組んだことによって、サウジなどの本来の親米国家を敵に回してしまった。それで、中東がぐちゃぐちゃになった。

アジアにおいては、南シナ海の人工島などが、その典型。本来のかたちが変容するほど、おかしくなったわけです。

今回の大統領選挙で、なぜフロリダが共和党についたか？　やはりキューバ問題が大きい。

キューバからの難民、移民は、共産主義というものを知っていますから。もう完全に、共産主義的なものに関してはノーサンキューということです。共産主義の恐さを知っている彼らだからこそ、共和党を選んだわけですね。

繰り返しますが、バイデンがオバマより無能ということになると戦争が起きてしまうのですよ。ディールができないから。

このディールができないということを恐れている国が日本のとなりにある。それは北朝鮮です。

北朝鮮は、なんだかんだいってもトランプとは話し合いができて、アメリカは話し合いのできる相手だと評価していたわけですよ。言うことをきく、きかないは別の話で。

それでも、ある程度、一定の敬意を持って……。

**宮崎**　派手な演出でしたが、ともかくチャンネルをつくったからね。

**渡邉**　…そのように扱ってきたけれど、バイデンにはそれがない。

北朝鮮は、バイデンが勝つことがわかった時点あたりから、アメリカとはつき合えないかもしれないというメッセージを発しはじめている。

こうしてみると、いろいろな意味でこれから、紛争リスクは高くなっていくと思わざるを得ない。

ですから民主党政権は、表向きは平和的に見えるかもしれないけれど、実はそれは何もしないということであって、何もしないということは、衝突のリスクを高める。

この部分は丁寧に見ていかなくてはいけないし、日本としては、やっぱり日本独自でどう対処していくかという、明確な国家のポリシーを……具体的なものがなくても、ポリシーだけは出さなくてはいけない。

**宮崎**　安倍さんの時は、あったんだよね。

**渡邉**　あったんですよ。安倍政権の時には。今の菅政権にはない。それが、日本にとって非常に大きなリスクになっている。

**宮崎**　横道にそれますが、「菅」という漢字、中国語では草木を刈り取っていくようにバサバサと人間を殺してゆくのが「菅」（発音はチャン）です。なんだかブラックユーモアみたいでしょう（苦笑）。

## いま起きているのは「南北戦争」か「文化大革命」か

**宮崎**　大統領選挙前後から、米国は完全に分裂し「現代の南北戦争」の様相を呈していたということもありますね。いま起きていることは中国の文革を連想させる「米国版文化大革命」だという分析もされています。

**渡邉**　「米国版一国二制度」です。

**宮崎**　香港のひそみにならって、米国も「一国二制度」というより「一国二国民」になった。だとすれば、中国にとっては欣快な出来事ですよ。

「アメリカ分裂は6つに割れる」と先走った主張をする学者が、ロシアにいましてね。ロシア外務省学士院学部長のパナリン教授で、珍説や暴論ではなく、歴としたロシア・アカデミーの学者が唱えています。

また、中国共産党ナンバー5の王滬寧《おうこねい》が30年前に『アメリカの衰退』という本を書いて、このままではアメリカは分裂し、衰退へ向かうと予測していたようです。この本がオークションで日本円で約25万円の値がついたという（笑）。

分裂といえば、私もかつて「中国は16に分裂する」と予測し、『中国大分裂』（文藝春秋／ネスコ）という単行本を上梓したことがあります。

故・李登輝元総統は「中国は7つに分裂するのが適切」と言い出されたことがあった。当時、それに対して中国は、不快感を覚えたのか、『亜州週刊』が李登輝総統非難とともに、「分裂論に同調する日本人たち」として中嶋嶺雄、長谷川慶太郎、そして私の名前を挙げました。

旧ソ連を例にあげると、崩壊後は15に分裂しました。ユーゴスラビアは東西冷戦崩壊で共産主義独裁政権が消え、7つに分裂。イラクは3つに分裂状態ですが、まだまとまっている。スペインでは、バスク地方など多数の場所で分裂運動が起きている。カナダからニューカレドニアまで分離独立運動がある。

**渡邉**　ブレグジットをした英国も、国内ではスコットランドと北アイルランドの独立問題に終始さらされています。

**宮崎**　アメリカは南北戦争で60万余の犠牲を出し、ようやく統一され、星条旗の下に「アメリカ人」というアイデンティティでまとまってきたはずだった。

しかし、ベトナム戦争以後の価値紊乱と、ＬＧＢＴＱ（性的少数者）に象徴されるような、キリスト教の伝統的価値観を冒瀆するような左翼運動が蔓延した。連邦議会にもＬＧＢＴＱの議員がいたし、軍隊はトランス・ジェンダーを問わないとバイデンは発表しました。

歴史の英雄である銅像を次々と破壊し、差別などの言いがかりをつけた暴力事件が頻発した。

そうした破壊的思想を蛇蝎のように嫌う南部の敬虔なキリスト教徒、エヴァンジェリカルらは、絶望と希望の狭間を行き来しながらも伝統を守る運動を組織したのです。４年前にトランプを支持し支えたのは、このような伝統的な人々だったわけでしょう。

今回の、大統領選挙の結果は、露骨な分断状況を晒しました。

**渡邉**　極左は国家破壊が目的だから手段を選びませんね。少数者や弱者の味方に立っているようで、実はどうでもいい。社会に亀裂を入れ、火種になるのなら問題はなんでもいいから非常に質が悪いです。

**宮崎**　北東部から東海岸は極左的社会主義が蔓延り、ラストベルトの旧工業地帯には資本主義の絶望が聞かれ、南部から中西部は敬虔なキリスト教地盤にメキシコ系アメリカ人チカノが入り込んで混沌とし、西海岸は正真正銘の左翼の牙城となった。

リーマン・ショック直後にも、前述したようにパナリン教授が、米国が6カ国に分裂すると主張していました。

①カリフォルニア州を基軸とする西海岸は「カリフォルニア共和国」となり中国とべったりの外交を展開する

②テキサス地域（南部）は「テキサス共和国」となり、メキシコとの関係が濃厚になる

③北東沿岸は「アトランティック・アメリカ共和国」（北東部から東海岸の人西洋沿岸部）となって、EUに加盟する

④中西部からラストベルトは「中北部アメリカ共和国」となりカナダとの結び付きを強める

⑤アラスカはロシアに含まれる

⑥ハワイは中国、もしくは日本の保護国となる、という予測です。

**渡邉**　実際、Texan（テキサン＝テキサス人）は独立するといっていますよ。

**宮崎**　それは、しょっちゅう、言っていますよ（笑）。事実上、テキサス人は平均的なアメリカ人じゃないから（笑）。

**渡邉**　まぁ、テキサスもそうだけど、アメリカの分断の答えは1つあって、カリフォルニアが独立するのです。カリフォルニアが独立すれば、あとの49州でまとまる。

**宮崎**　うーん、ニューハンプシャー州とか、あのへんはどうかな？　東部極左ベルト地帯があるよ。

**渡邉**　カリフォルニアには55人も選挙人がいる。これを失えば、リベラル、民主党が勝てる目はほぼなくなるのです。

**宮崎**　カリフォルニアは、人口がカリフォルニアだけで8千万人以上いるでしょう。GDPも2兆7千億ドル以上あって、米国の13％を占めています。世界でも5位。だから、さっさと出ていけばいいけど、ただ出ていったら困ることが1つある。カリフォルニア州は左翼の牙城ですから中国と組むよ。

**渡邉**　だから、出ていったら困るのでメキシコに返上するんですよ。もともとメキシコだったのだから。

**宮崎**　1983年に米国政府の招待で、私はカリフォルニア州のクレアモントという田舎町のシンクタンクで毎日講義を受けながら1カ月暮らしたことがあります。ロスやサンフランシスコのような都会と比べると、カリフォルニアの郊外の人々は保守的で良心的で、典型のアメリカ人も少なからずいます。

## トランプ敗北、また敵と味方を間違えた米国人

**宮崎**　これは、私が以前から指摘してきたことですが、日本にとっていちばん厄介なことは米国は「敵と味方を間違える天才」だということです。

ラルフ・タウンゼント著（田中秀雄、先田賢紀智訳）『続・暗黒大陸・中国の真実　ルーズベルト政策批判1937〜1969』（扶桑書房出版）の中に、こんな記述があります。「アメリカの危険というのは、外国からの攻撃があると言うことではないのです。わが国を脅威に陥れるような国はないのです。危険なのは、私たち、きちんとして善意の人々の中に、宣伝に動かされやすい人がいると言うことなのです」。

愚かにも米国は、中国を支援し、日本を脅威と思いこんで制裁を科すというあべこべをやった。

「中国が苦しいという」宣伝に乗せられたからです。しかし実態はその逆で、軍事費は日本の9倍に膨らんだ。

シナ事変の「何年も前から選りすぐりのドイツ人顧問団を招聘し、最新兵器を（シナが）各国から大量に輸入している。１９３７年初頭、言論界、新聞は抗日戦争を煽り、『満州国奪還』、『戦闘機１６００機が実戦配備』と意気盛んだった。戦闘機１６００機といえば、これは（当時の）アメリカと比較してもさほど遜色のない数である』

だが「すべての元凶は汚職である。長年、膨大な海軍予算を横領、流用する官僚が続出。毎年毎年、公金を懐に租界へ、海外へ高飛びする役人が列をなす。軍閥同士の抗争も絶えない（中略）。国は荒れ放題、同じ中国人に情け無用の乱暴狼藉のし放題で、歯向かう者は撃ち殺した。大多数の中国人は『攻め来る敵に立ち向かえ』と言われても拒絶する」のですね。

１０００年前も４０００年前も、まったく現代中国人とかわらない。この中国人のDNAに染みこんだ腐敗大好き、汚職優先という体質は変わらない。

**渡邉**　変わりませんね。歴史を見ても、明らかです。

**宮崎**　1926年からの蔣介石政権の10年間で、アメリカからの対中輸出は激減したけれど、「主な原因は中国の国策にあり、また喜んで債務不履行する役人の体質にあり、また無法者を取り締まらない法制度にあり、役人によるアメリカ企業の没収やゆすり、たかりにある」とタウンゼントは続けています。

そんな汚職大国に、ルーズベルトからニクソン、オバマまで、アメリカは支援を続けた。あまつさえ、中華民国・台湾との外交関係を切って、シナの共産主義政権と国交を結んだ。トランプは、この愚行をくりかえすことなく中国への経済支援を断ち切り、自由世界の一員である台湾を擁護する外交に切り替えたわけです。

**渡邉**　トランプがアメリカ大統領として最後にやったことの1つが、従来は、10年間、複数回入国可能だった短期ビザを、9200万人の中国共産党員とその家族については30日間にして、事実上停止にしたことです。共産党員による米国への移住はこれで難しくなった。そもそも、中・長期ビザを取って一定期間滞在しないとグリーンカードも取得できないわけだから。

**宮崎**　しかし、正しい選択をすると、よこしまな悪魔たちがアメリカ国内で中国のエージエントを演じる。

２０２０年11月3日に、アメリカ国民はまた選択を間違えた。「御輿は軽くてパァが良い」とばかりに、認知症の兆候がある老人を、こともあろうに大統領に選んでしまった。

エドモンド・バークの言葉を思い出すよね。

「悪が勝利するのに必要な唯一の条件はわれわれが何もしないことであるのかも知れない」

# 第2章

# アリババ帝国崩壊で自滅する中国経済

## 米国混乱が世界に飛び火

**宮崎**　米国の混乱がさまざまなリアクションを伴って、世界に飛び火しています。中国は大甘バイデンの間隙に乗じて尖閣、台湾への進出（領空侵犯だけでも20年に380回です）を頻繁にし、ミャンマーの軍事クーデターを背後で支援している。気づけばＡＳＥＡＮ諸国は強権体制を敷く国家が増えている。ドゥテルテ大統領のフィリピンは内政干渉はしないことを理由に軍事クーデターを静観しています。欧米の反応とは真逆。皮肉なことに欧米の制裁の結果、ＡＳＥＡＮ諸国や中東諸国が中国に傾斜し、それが民主国家のジレンマとなっている。欧米のミャンマー制裁は、中国を裨益させるだけで、愚かな外交なのですが、バイデン政権がとりつかれているのは人権であって、中国包囲網は優先順位にない。

**渡邉**　ミャンマー・クーデターに驚いた日本人は多いと思うので、その経緯を少し振り返りたいと思います。

２０２０年11月の選挙でアウン・サン・スー・チー氏が率いる与党・国民民主連盟（ＮＬＤ）が圧勝し、軍が関与する政党はほとんど議席を確保できなかった。これを軍部は「不正選挙」だとしたわけですが、そもそも圧倒的な得票差をみれば覆るようなレベルではなかった。

元来、ミャンマーは軍事独裁国家であり、軍部が政治と経済を握り、すべての利権を自らのものにしてきた。これに反対したのがスー・チーであり、長年の民主化運動によりミャンマーを民主国家に変貌させた。ここには欧米などとの関係もあり、欧米の傀儡と批判する声もありますが、民主化を成し遂げたことは間違いなくスー・チーの成果といってよいでしょう。

**宮崎**　ASEANのなかで中国依存が激しいのがメコン3カ国、ミャンマー、ラオス、カンボジアだけど、実はミャンマーだけがスー・チー政権になって対中負債残高を減らしています。スー・チー政権が発足する15年末から3割。一方同時期にラオスは約72%、カンボジアは約34%も増えたのと対照的です（世界銀行）。

**渡邉**　スー・チーへの批判はロヒンギャ（ミャンマー西部のラカイン州北部に住むイスラム系少数民族）問題などでも一方的な声もありますね。これは欧米メディアなどの一方的な報道による側面も大きく、ミャンマー国民はそれを支持していることを見逃してはならないでしょう。

ミャンマーではロヒンギャという集団の存在自体を否定し、バングラデシュから流入した不法移民であるとの主張から、ベンガル人という意味の「ベンガリ」と呼ばれており、彼らの排除は主に警察や軍部が主導してきたものです。

**宮崎**　国際社会はスー・チー政権を痛烈に批判してますが、もともとは英国の植民地における民族隔離政策が原因ですよ。

だからこそ英国のメディアがいちばん激烈にスー・チーを攻撃し、ロンドン議会は名誉称号を剥奪した。この歴史のアイロニーを鋭角的に衝いてロヒンギャ問題を英国の責任とするのが中国です。

ミャンマーの孤立という絶好の機会を捉えて、外交に活用するのが、中国の遣り方。王毅外相は急遽、ヤンゴンを訪問し、高らかにミャンマー支援を約束した。中国のメディアは「ロヒンギャはテロリスト」と国際社会とはまったく異なる分析をして見せた。

２０２０年1月17日に、習近平がたくさんの土産をもってヤンゴンを公式訪問していますが、スー・チーとは別に軍幹部と会っています。

**渡邉**　ですからスー・チー氏の対中姿勢を批判する声も大きいですが、その資格はない。新興国ミャンマーの発展を考えれば、中国との経済的関係が重要であり、他国がそれをまかなえない以上、それを批判する資格はないといえる。日本政府も関与を続けてきたものの、地政学的にも限界があり、中国を排除するだけの力もないですから。

そして、軍部も中国からの支援を受けており、安保理でも例のごとく中国とロシアが制裁に反対し、非難決議も出せない状態に陥っている。

新興国にありがちな話であるが、これは「利権争い」であり、東西の政治体制争いではない。おっしゃられるように、逆に軍部が政権を奪還した場合、中国との関係が強化される可能性が高く、欧米や日本などが支援から手を引けば、中国がその分関与を強める可能性が高い。結果、ミャンマーが軍事態勢下で中国の支配下にはいる可能性もある。

アフリカなど新興国問題とも共通するが、中国は表の経済協力と裏での軍事協力や買収など裏表両面での浸透工作を続けてきた。そして、クーデターや政治動乱は中国にとっての勢力拡大の糧でもあるのです。

**宮崎**　２年前にヤンゴンからおんぼろ飛行機に乗りかえて、チャオピューという、中国が港湾近代化をする拠点とロヒンギャや居住区の跡を取材したことがあります。モスクは破壊されていましたが、中国スマホが進出しはじめていた。

今回もコロナ禍がなければ、すぐにクーデター騒ぎのヤンゴンへ現地取材に飛びたかった（笑）。

ところがミャンマー政府は空港も封鎖しました。

## 日本の代わりにドイツが中国を助ける

**宮崎**　今度はＥＵの問題。２０２０年12月30日、中国とＥＵは投資協定に合意すると表明した。

**渡邉**　そういう方針は示したけれど、具体的な内容に関しては、まだまだということですが。

**宮崎**　ＥＵ首脳と中国の習近平とのテレビ会議にＥＵ側はミシェルＥＵ大統領、フォンデアライエンＥＵ委員長、ドイツのメルケル首相ならびにマクロン仏大統領が出席。

その席上、フォンデアライエンＥＵ委員長は「中国との経済関係のバランスを取り戻す」とし、一方、習近平は「世界経済を牽引し、貿易と投資の自由化を促進するものである」と豪語しているのです。

具体的な内容というのは、ほとんどないのだけれど、一応、アウトラインとして出てきているのは、アメリカと同様に１００％の現地法人を産業によっては認める、と。ＥＵ側が中国に擦り寄ったかたちでの、非常に拙速な合意でした。

それから、進出している外国企業の技術、知財の強制公開については、これはそれを要求しない方向にある。

ＥＵがなぜ、この協定を急いだかというと、あの女帝メルケルですよ。間もなく引退するため、レジェンドづくりを焦った。メルケル主導で行われたとみてよい。

**渡邉**　ただＥＵの間でも、ＥＵと中国と協定を結ぶということにかなり反発している動きもある。ＥＵの議会のほうでも、承認を得なければいけませんから、一筋縄ではいかない。

**宮崎**　かつ、ＥＵ諸国でも相当反対意見が多いですよ。

**渡邉**　基本的に重要な決定に関しては、全加盟国合意が前提にはなるので、そうすると結局何もできなくて、骨抜きになる。

方向性とかそんな感じの枠組みしかできないけれど、まぁ、やった、という実績を残すのかなという気はしますけれど。

**宮崎**　メルケル抜きにしては、こういうことを拙速で急ぐわけがない。

その一方で、ドイツは安全保障面では保険を掛けている。

日米豪印のクアッドによるインド太平洋の共同演習に加えて、英国とフランスは当該海域に「自由航行作戦」の一環として空母を派遣した。ドイツも重い腰をあげて、駆逐艦の派遣を決めつつありますから。

ドイツのクランプ＝カレンバウアー（女性）が国防大臣のポストにあって「国際法に違反する中国の野望に対峙するには国際的枠組みが必要だ。航行の自由を守るために（ドイツの）存在感を示すことが、強いシグナルになる」などと、親中路線に逆らう発言をしています。20年11月の岸防衛大臣との電話会談でも同じことを強調しています。

ドイツは、中国に深入りしながらも、「西側の秩序の参加者ですよ」という印象をつくり出して、保険をかけたということだよね。

しかし、香港を飲み込み、ウイグル弾圧をやめず、台湾を脅し、豪に圧力を駆け、世界に迷惑をかける中国の振る舞いに、EUは目を瞑《つむ》った。

EUは、約束事を平気で破る中国の前科を知っているはずなのに、メルケル独首相は怯まず、人権問題はすっぽりと忘れて、中国経済の活性化に協力するというのだよね。

問題は、明らかにWTOに違反する中国の補助金の廃止を求めず、単に透明性開示を要求しただけであり、参加企業への技術強制公開、労働者保護など、中国が短時日で解決することが不可能な問題に対して、曖昧な表現が並んでいるだけということ。そして、ウィグル、チベット、南モンゴルにおける少数民族への監視、人権弾圧に関しては、まったく言及されていない。在独作家の川口マーン惠美さんから直接聞いたことですが、ドイツのメディアはバイデン当選以降、中国の報道がほとんどなくなってコロナ対策のニュースばかりだそうです。

**渡邉**　中国を孤立させることがなぜ西側の不利益なのか、を考える必要がありますね。

**宮崎**　１９８９年6月4日の天安門事件で、ＥＵは、人権擁護の立場から徹底的に中国を批判した。特にフランスは、多くの中国人亡命者を受け入れています。

この時、アメリカはブッシュシニア政権で、スコウクロフト補佐官を密使に立てて北京へ飛ばし、方励之（物理学博士）の米国亡命と引き換えに、日本を説得し、懇請して天皇陛下訪中の根回しをした。

あの人民弾圧、虐殺から僅か3年後に、宮沢政権は天皇陛下北京御幸を促進し、世界の嗤いものとなった。世界に孤立していた中国を、結果的に日本が救うことになったわけです。

この歴史を踏まえて、メルケルはかつての日本の役割を演じようとしているのではないかと思うのですが。

**渡邉**　ドイツの場合、自動車産業を中心に産業全体が完全に人質になってしまっていますからね。

## コロナでEU諸国の分断が加速

**宮崎**　IMF統計によると、中国とEUの相互直接投資は5000億ドル近くもあります。自動車の合弁条件を徐々に緩和し、いずれ廃止するとか。新エネルギー車市場の開放、病院事業などでも中国は制限を緩和し、クラウド事業では50％の株式取得が認められるということだけれど、怪しいものだよね。そもそも、中国は約束を守ったことはあるのか？と聞きたい。

一部産業では、ゴールドマンサックスに100％の現地法人を認めたような方向になるらしい。なにしろドイツは、輸出国の半分が中国だというじゃないですか。「カネを前に人権を云々するのは得策に非ず」としたメルケルの、偽善者の本質が明かされたよね。

それにしても、域内貿易があるから、つまり域内を除いた国際貿易のうち半分が中国なのかな？

**渡邉** そういう意味でいえば、そうなります。域内を除けばね。

自由貿易圏を除く貿易だと、そうなるかもしれないけれど、ただそんなことをいっても

ほかの国が納得しないと思いますよ。

ドイツが主導力をもって動かしたとしても、ＥＵ自体がもう形骸化してしまっていますから。

なぜかというと、国境検査なしで国々を行き来できるシェンゲン協定がコロナによる国境封鎖でないも同然だからです。

**宮崎** それはいいことだと思う。いままでのノーズロ状態がむしろ異常だったのです。

**渡邉** 移動の自由が保障されているし、物品の制限等を一切かけてはいけないはずの「国境のない世界」が、実際、いまは国境だらけです。

**宮崎** 国内旅行にもいけない。

**渡邉** 笑ったのが、ドイツとフランスの国境で、国境のすぐ50ｍぐらい先に美味しいパン屋があって、ドイツ人が毎日パンを買いに行っていた。そうしたらコロナで国境が封鎖されちゃって、仕方がないから釣り具のリールでバスケットをつるして、お金を入れて持っ

ていって、電話してお金と引き換えにパンをもらって釣り上げるという動画があった。今、こんなことになっているのだと思いましたね。

**宮崎** それ、密輸じゃない（笑）。

アンドラなんて、フランスとスペインのあいだに小さな8万人しかない国があるのだけれど、ここは免税なんですよ。だから、そこら中から車で買い物に来るんですね。言ってみれば国境に、大きな免税店があるようなもの。

**渡邉** Ｄｕｔｙ Ｆｒｅｅ（保税免税店）みたいな。

**宮崎** でも、この町も一時、封鎖されたのですよ。一応、独立国だから。

**渡邉** どうしたのでしょうね。相手国が閉鎖をしたのではなく、フランスとドイツの国内問題としての封鎖なので、だから相手が入れないというのではない。

あと今回、イギリスがハードブレグジットを避けるかたちで最終的に合意したのだけれど、最終合意でいちばんもめていたのがジブラルタルですよ。

ジブラルタルって英領なのだけれど、事実上はスペインにあって、これをどちらの陣営につけるかということで、関税の対象にするのかしないのかと。結局、イギリスが折れるかたちで、ジブラルタルに関してはＥＵの経済圏に残るということになった。

**宮崎**　ジブラルタルは人口わずか3万5000人、このうち英国人は4分の1しかおらず、圧倒的な住民はEU残留を望んだのです。しかしいまでもイギリスの兵隊が、たしか1000人ぐらいいるんじゃないかな？

とにかく、あの地中海のへんな島にイギリス軍が残っているのですよ。マルタにも2000人ぐらいいたかな？　つまり地中海の制海権というのはいまでもイギリスが持っている。

英国がジブラルタルは絶対に手放すはずがない。

## 英国は香港を取りに来る？

**渡邉**　1つのものの見方として、ざっと話して、EUの話もしたけれど、文明の衝突が起きて、同時に、海洋国家群とユーラシアという2つの分離経済体が生まれようとしているのですよね。

先生のほうが詳しいと思いますが、はじまりがイギリスのブレグジットで、イギリスは大英連邦との関係を強くしていった。ファイブ・アイズとの関係を見直すとして、オーストラリア、大英連邦諸国との連携を強めていった。そして海外領土に関するハンドリングを強めていった。いままであまり気にしていなかったような島国、英領なんとかという地域に対する統治権まで明示しはじめた。

そして香港問題が起きた、と。

イギリスからみた地図でいうと、イギリスは、7つの海をおさえた国で海洋国家のドン。ユーラシアをグルーっと、海上から取り囲んでいる。

そのど真ん中にあるへその部分がどこかというと、イギリスからインド洋を抜けて南アの下を抜けて（南アもイギリスでしたから）、ぐーっと抜けて、タッタッタッとオーストラリアがあって、ニュージーランドがあってと、こうアメリカがあってカナダがあって、ポーンと真ん中に着くと香港なのですよ。

イギリスはグローバリズムの政略のなかで、香港を中国に禅譲する……100年間統治していた地域を禅譲する、という格好になったけれど、ほんとうに捨てたのかということですよね。

**宮崎**　そこが難しいところ。英国植民地時代のシンボル香港上海銀行（HSBC）が残っていたり、いろいろと中国の言うことをきくようなふりをしながらも、まだジャーディン・

### 米国に対抗して立て続けに強化する中国の制裁措置

| | |
|---|---|
| 2020年8月 | ハイテクなど技術輸出の規制を強化。人工知能(AI)や個人向けのデータ解析を輸出制限対象に追加 |
| 9月 | 中国企業に不当に損害を与えた外国企業に対し、中国との取引を制限・禁止できるようにする規則を公布 |
| 12月 | 中国輸出管理法が施行。戦略物資などの輸出を許可制にし、特定企業への輸出を禁止 |
| 2021年1月 | 海外の法律の域外適用ルールに従い対中制裁などに追随した企業に損害賠償を請求できる対抗策を即日施行 |

マセソンも残っていますよ。撤退の意志もないし。

**渡邉**　だから、香港問題というのは、アリババがこれからの判断軸のひとつになると言ったように、香港問題も次の軸として、並行して存在するものになっていくと思うのです。

香港に対しては、これまではアメリカが積極的に香港人権法、香港自治法等をつくって、香港の人権弾圧にかかわる人物の制裁を進めてきた。

そして銀行も人権弾圧に参加した場合は、ドル決済を禁止するなどの厳しい手段で、アメリカの言うことを聞けと命じてきた。

中国は中国で、同じような法律をつくって抵抗する。「アメリカの言うなりになるなら、制裁をするぞ」という法律を、施行したのですよ。

香港の銀行家たちはいま、その間にはさまれて、どうしたらいいかわからない状況にあります。

**宮崎**　キャリー・ラム行政長官のクレジットカードが使えないということがあった。現実に、制裁の影響はあるのです。彼女は香港ドルの現金で給与を貰っているとか。

**渡邉**　日本においても、２０２０年12月４日、松原仁さんが国会で、このアメリカのその法律なりの対象は日本の銀行も対象であるのか？　という質問をしたのです。

**宮崎**　香港に支店があったら、当然対象になりますよ。

**渡邉**　それで、当然なりますということになった。

では、日本の銀行はどうするのですか？　と。これはアメリカのルールに従わないとドル決済できなくなるということで、当然国際法規に従って…みたいな答えを出している。日本の銀行も、アメリカに従わなかったらつぶされてしまうので、従うと。しかし本来は、日本の銀行がアメリカの制裁に従うと、中国から制裁をくらってしまう。だから、どちらも選べないといったどうしようもない状況になる。

**宮崎**　とにかく顧客リストを出せといわれたでしょう？　でもバイデンになったから、この制裁も中途半端で終わるかもしれない。いや、きっとそうなる。

**渡邉**　いまは企業、香港の銀行がその対象だけれど、今度は、知的財産とかそのほかの分野において輸出管理の問題が絡んでくる。

## リスクが高い中国のワクチン

**宮崎**　1月13日、中国黒竜江省政府は、合計3750万人が暮らすハルビン、綏化《すいか》市など旧満州国、現在の中国東北三省の北端の諸地区に「緊急事態宣言」を発令しました。黒竜江ばかりか、遼寧省、河北省の諸都市が都市封鎖、緊急事態宣言が相次いでいます。

中国政府は「世界に先駆けて新型コロナを征圧した。中国は効き目の高いワクチンの量産に成功したので、これを世界の人々に供与したい」とか言って「ワクチン外交」に転じましたが、ワクチンと引き換えに、何をしているのか。

ブラジルは中国のワクチンを使用したところ、効果がそれほどでもないと発表したうえ、サンプルと実際に供与されたワクチンとは性能が異なるとした。

中国の経済植民地のようなカンボジアですら「われわれは実験場ではない」として、中国からのワクチン供与を拒否しました。カンボジアのフン・セン首相って、中国の代理人じゃなかったんだ。

**渡邉**　シノバックのワクチンは臨床検査の結果、感染予防率が50%前後とリスクが高い。そもそもワクチンの効果には3種類あります。重症化させないもの、発症させないもの、感染予防の3種類。ワクチンは、このどれかなのです。

それで、インフルエンザワクチンとコロナのワクチンを比較する人がいますね。インフルエンザのワクチンだって効かないことがありますね。あれは、どの型がはやるかわからない段階でワクチンをつくっているから。その見込みがはずれると、効かない。たとえば、香港A型だと思ったけど、実際は香港B型が流行してしまった、というような場合ですね。

ところが今回のワクチンというのはターゲット商品なのです。コロナ、新型コロナにターゲットを合わせたワクチンであって、ですからほかの型が出るということはまずないので、モデルナとファイザーのワクチンに関しては感染予防で95%ぐらいの効果がある。重篤化ではなくて。

いちばん望まれるワクチンは、感染の予防効果のあるワクチンです。それにひきかえ、中国の50%というのは、これはどの効果の50%かさえもわからない。重篤化防止の50%なのか、発症させないものの50%なのか、予防効果のあるものの50%なのか……ここに大きな違いがある。

**宮崎**　ＷＨＯの規定では一応50％が最低基準、でも中国のワクチンは最初に外国に供与してワクチン外交をエサにしています。

## ワクチン開発は欧米企業が先行

**渡邉**　今回、新しいタイプのワクチンのつくり方がいくつか会社によって違う。

第一弾でつくられたのは、ｍＲＮＡというタンパク質。抗体をつくるタンパク質を注入するという、いままでのワクチンとはまったく違うものなのです。

いままでのワクチンは、ウイルスを無毒化したり、弱毒化したりしたものを打って抗体をつくらせる。

ｍＲＮＡワクチンは、そういうものでなくて、こういう抗体をつくりなさいというメッセージを組み込んだワクチンを体内に入れることによって、人間に抗体タンパク質をつくらせるものです。

いままでのワクチンが農産物だとすれば、今回のワクチンは工業製品。完全に設計されてつくられている。

なので、変異に関しても6週間で変異株に合わせた設計変更ができるとしています。中国でも同様のワクチンが研究されていますが、やはり欧米のほうが進んでいる。

**宮崎**　恐らく持ってはないと思いますが、ただ、中国は反対に生物兵器に関していえば毒物の開発とか、そっちのほうはすごいからね（笑）。

**渡邉**　殺すほうはすごいのかもしれないけれど、治すほうは……。人命が安い国なので（笑）。

**宮崎**　先進国では売れないけれど、途上国には売れるんですよ。後払いでいいからといって、どんどん供与している。いや、ひょっとして実験場代わりかもしれない。

**渡邉**　そうやって海外に売るのはいいけれど、結局、効かないワクチンということになると、結果的には、後の恨みになりますからね。

アストロゼネカのワクチンで4ドル前後でしょう。ファイザーが十五ドル。モデルナが20ドルぐらいといわれていますね。

購入状況はそれぞれ違うけれど、安いもので、結局効かなかったら意味がない。感染予防効果50％だと、集団免疫ができないんですよ。全員打っても。7割ぐらいの人口シェアで集団免疫が完了するといわれているので。感染予防70％以上で全員打てば、計算上は集団免疫ができあがる。50％では、集団免疫にならない。

ただ中国も1社だけじゃなくて5社ぐらい開発しているので、これからどんなものが出てくるかはわからないですけれどね。

**宮崎**　しかも国の予算使って、ガンガン科学者を投入してやっているから。ああいう国家は1つのプロジェクトで集中できる、その集中的な資源を持っているところは強いといえば強いはずなんだよね。

**渡邉**　ただ中国自身はファイザーのワクチンも購入するとしています。このワクチンはファイザーとビオンテックというドイツの会社が共同開発していて、開発自体はビオンテック。このビオンテックから1億接種分のワクチンを購入する契約を結びました。ということは5000万人分、つまり、中国共産党員は、信頼性の高いファイザーのワクチンを打つんでしょう（笑）。そういうことですよ。

**宮崎**　党員は9200万人いますから、党員の上のほうだけだね。

**渡邉**　幹部ね。たぶん3000万人分くらいは幹部が打つんだと思います。あと2000万人分は高い値段でみんなに売りつけるのでしょう（笑）。

**宮崎**　すでに闇市場では150ドルだから、中国は。またニセモノも出回っているし、中国の闇ワクチンが、日本で、3万円で接種されたなどという記事も出ていた。

**渡邉**　それは、でもファイザーのワクチンじゃないですよね。

**宮崎**　医療関係者にまず打つでしょ、いくらなんでも。

**渡邉**　それはそうでしょうね。でも、いまヨーロッパでワクチン窃盗団というのが出ていて、これが問題になっている。闇マーケットで売られはじめているそうです。

こうした流れの中で、バブル崩壊の話、バブルで株が上がっている話、そしてこのワクチンの話は密接につながっている。要は株式がバブっていても、実体経済の上昇がそれに追いつけばバブルははじけない。反対に、実体経済の成長が追いつかないとはじけてしまう。

**宮崎**　そのあきらかな怪奇現象をみていると、やっぱり中国バブルがはじけるのは時間の問題だなという感じはしますね。

## リスクまみれの中国経済

**宮崎**　多くのシンクタンクが、２０３５年に中国がアメリカを抜くと予測している。野村證券などは、もっと早く２０２７年に中国がアメリカを抜くと言っている。野村證券は始めっから中国市場にのめり込んできましたから。

こういう予測は、私たちの見解からすると、冗談のように聞こえます。

たしかに、中国の人口は米国の５倍も多いのですから、ＧＤＰはひょっとしたら抜く可能性はあるかもしれない。ただそれをもって米国を超えるというのは一面的すぎます。１人あたりのＧＤＰ、つまり生活の質で割っていかなくては正しい数字はでてこないし、実態は測れないでしょう。

日本のメディアというのは、一人あたりとか、実質ＧＤＰとか、そういうことをまったく抜きにして、中国の脅威というか、爆発力として語るから、問題です。

**渡邉**　そもそも中国はピラミッド構造。中国共産党９２００万人とその家族、都市に住んでいる中国の富裕層がだいたい１億５０００万人、そして在日の中流層まで含めて経済協力開発機構（ＯＥＣＤ）レベルが約3億人。残り11億人は「それ以外」という構造でしかない。

「14億人のマーケット」ということ自体が間違いだし、中間値の出しかたは、ものすごく難しい。日本みたいに、総中流ではないので。

**宮崎**　たしかにそれはいえるんだけれど、一方においては海外旅行ができる中国人が3億人いるというのも事実です。それから、新型のテレビが出たら買う人が2億から3億いるということだから。スマホは10億台以上売れてますし。

**渡邉**　それは大きいですよね。ただ、それは結局、その残りの11億人の人たち犠牲のもとになりたっていることであって、大きな社会不満のもとになっています。２０２０年5月の記者会見で李克強首相が暴露したように、「中国には月収１０００元（約1万５０００円）の人が6億人」もいます。

**宮崎**　不満のもとになると、結局、怨みになって、その怨嗟のマグマが爆発すると革命になる、というのが今までの中国の歴史ですね。

ただ、その場合は、飢饉になるとか、明日食う米がないというところまでの赤貧に落ちて、はじめて湧き上がってくる革命感情なんだけれど、いまのところ、まだ末端の農民も一応食えてはいるから。軍人が三食食べている間は、中国軍にクーデターは望めそうにないですね。

**渡邉**　そこにおいて、かつて拍手喝采を受けたのが習近平の虎狩りであって、習近平の社会主義、共産主義、先祖返りみたいなのを拍手喝采しているのも、この11億人の人たちなんですよね。

たとえばアリババのジャック・マーがスケープゴートになった時に、貧困層の人たちはみんな、拍手喝采する。

**宮崎**　それは、そうですよ。金持ちに対する怨みというのはすごいですからね。世の犯罪の動機は、めし、カネ、そして女です。

**渡邉**　そういう面でいったら、一定量の金持ちを粛正して、中間層を減らすというのは中国共産党にとって、やらなくてはいけない宿命。

そうしないと、国内の資源が足りなくなってきていますから。中間層を減らせば、資源の浪費が止まる。そもそも14億人を豊かにする資源は地球上にはありませんから。

そろそろ、中間層減らしははじまるでしょう。2025年に中国は、人口減少社会に転向し、人口ボーナスから人口オーナス（働く人よりも支えられる人が多くなる状況）に人口動態が変わります。

それで、一人っ子政策によって、日本の3倍ぐらいの速度で少子高齢化の速度が早い。日本が、人口ボーナスから人口オーナスに変わったのがバブルの終わりぐらい、1990年前後だったと思います。88年、グローバリズムが進むのと、ちょうど同じぐらいの時期です。それでバブルがはじけて、そのあとに金融がどんどん壊れていった。ちょうど中国でも2015年に上海株の暴落がありましたよね。

**宮崎**　あれは別の理由だったけれどね。2015年8月15日、天津で大爆発事故があった。

**渡邉**　ええ、理由は別にしても、日本の後追い状況になってきているのですよ。

1980年代の後半というのは、日米貿易摩擦が問題になっていて、自動車が叩かれたり、関税がかけられたり、その後バブルのあとにジャパンプレミアムなどといって日本の銀行金利に付加金利をつけられて、企業が痛めつけられたりした。

これと同じことが、中国に対して行われていて、この速度が日本より3倍早いということを考えると、いままで日本が30年かかってきた道のりが10年でやってくる。

それが2025年ぐらいだろうと予測がつく。14億人という巨大な人口、日本より3倍も早い高齢化、未熟な社会保障制度、過剰なマネーサプライ（通貨供給量）、国有企業の社

### 中国の国有企業の債務不履行が増加

| 社名 | 業種・概要 |
|---|---|
| 北大方正集団 | 北京大学系のIT、医療 |
| 中信国安集団 | 中国中信集団が出資 |
| 中国吉林森林工業集団 | 吉林省傘下の林業大手 |
| 天津房地産集団 | 天津市傘下の不動産会社 |
| 華晨汽車集団 | 遼寧省の自動車メーカー |
| 永城煤電控股集団 | 河南省の石炭会社 |
| 紫光集団 | 清華大学系の半導体大手 |

債デフォルト（債務不履行）の多発、昨年末に起きた大規模停電など、目に見える「ひずみ」以外にも、計画経済で表に出ていないひずみがどんどん蓄積していることを考えると、一気にクラッシュする可能性もあるわけです。

本来、自由経済というのはかならず踊り場があって、調整が行われて上がっていくのですが、中国経済にはそれがない。上海株が暴落した時に、一瞬調整は行われたけれど、そのあともずっと計画経済によるごまかしが行われてきた。ところが、ここにきて、とうとう国有企業が破綻しはじめている。

**宮崎**　すごい勢いですよ。社債のデフォルトからはじまって、よもやという恒大集団（不動産の最大手）、それから石炭の巨人・永城煤《えいきえん》。とにかくつぶれるはずのないところで、社債のデフォルトをやっている。

**渡邉**　紫光集団ですら、やっていますし。

**宮崎**　紫光集団なんかは、とうの昔にね。北京の方正《ほうせい》集団も。紫光は清華大学系、方正は北京大学系と、中国の最高学府系のハイテク企業が断末魔の悲鳴をあげている。

**渡邉**　そういうかたちで、いま、デフォルトの多発がきている。

　これは日本の過去でいうところの、バブル崩壊の第2波にあたります。

　国有企業の破綻が意味するものは、つまり人民元建ての通貨のごまかしはきくけれども、外貨はごまかせないということでしょう。外貨建てデフォルトが多発しはじめたのは、その象徴でしょう。

**宮崎**　国際信用をなくしますからね。中国企業に対する融資も難しくなる。チャイナプレミアムなんて、いま2%どころじゃないでしょ、プラス8%だからね。それでも外貨がほしい。

**渡邉**　中国がオーストラリア産の石炭を輸入しないのは実は制裁ではなく、外貨の不足から制限をかけているのではないのか、という話もある。

　オーストラリアとの対立だけではなく、目先の、決済用の外貨がない。表向きはあることになっているけれど、実際に使えるキャッシュ・フローが存在してないのではないか、と。

春節が2月12日に来るので、春節のあとどうなるかというのが、中国経済のトピックになっています。

**宮崎**　豪州の石炭はインドネシアなどから代替してますが、日本の丸太輸出が中国向けに急拡大しているのも中国と豪州の確執の影響からです。

## アント事件の衝撃

**宮崎**　しかし、中国情勢において衝撃的なトピックは、アント集団の上場延期という大事件でしょう。これこそ最大の椿事です。

馬雲（ジャック・マー）は、アリババ傘下の金融会社アントを香港と上海の証券市場に重複上場し、史上空前の３００億ドル（3兆６０００億円）を集めると息まいていました。ちなみにアリババは、ＮＹ上場時、史上空前とされる２５０億ドルを集めた。資本主義の本場で、全体主義の国からやってきた新興企業が、資本主義の歴史を塗り替えたわけです。もしアントの上場が成功していたら、馬雲は、ビル・ゲーツを抜いて世界一の金持ちになるはずだった。

ところが２０２０年11月５日、３７０億ドル規模のアント・フィナンシャルの新規株式公開が実行まであと48時間足らずというタイミングで、規制当局により延期になった。これは世界中にショックを与えました。予約していた投資家たちは顔面蒼白になった。

中国当局が馬雲を取り調べたとの情報がもたらされると、アントの香港、上海同時上場の延期が発表され、アリババ株は９％の下落となりました。

**渡邉**　この事件はなぞが多くて、ジャック・マー自身、公の場から姿を消して、３カ月近くが経ちますが、彼はいまどうなっているのか。また、事の発端は昨年10月24日、上海で開かれた金融フォーラムでの次のような発言にあるといわれています。（以下、ＮＨＫオンライン）。

「中国の金融は管理する力は強いが、正しく監督する力は明らかに足りない」

「すばらしいイノベーションは管理・監督を恐れないが、古い方式で管理・監督されることを恐れる。イノベーションにリスクはつきものでリスクをゼロにしようとすることこそが最大のリスクだ」

「習主席が統治能力を向上せよ、と言っているのは、合理的な管理の下で健全で持続的な発展を維持しろと指示しているのであり、発展できない管理をしろと言っているのではないと理解している」

しかし、彼はなぜこんな不用意な発言をしたのか？　それもわざわざ大型上場を控えている時に。

確かにジャック・マーはＩＴという分野において、多少なりとも中央と対立してきた歴史はありました。アリババ帝国、テンセント帝国という中国版ＧＡＦＡといわれる二大帝国は、ある意味、中国政府より巨大な存在になってしまった。それを背景にして中国が世界のなかで今後もＩＴで舵取りをしていくのにわれわれは必要であろうとジャック・マーが高をくっていた可能性は否定できません。

## 中国政府はアントの何を恐れたのか

**宮崎**　統制側からみれば、馬の発言は挑発的であり、共産党支配への反対声明とも受け止められます。

また馬雲は、「中国にシステミックなリスクはない。なぜ？　中国にはシステムがないからだ」とずばり本質を突いた発言もしています。ま、思い切ったことを言ったものと感心しましたけど、中国人民銀行が、こうした馬雲発言に苛立ったのは想像に難くない。

アントがスマホで貸し出した金額たるや、過去1年間で116兆元（邦貨換算で1860兆円）となんと日本の国家予算の18倍です！　中国の現金流通の14倍にもなる。

フィンテックにもっとも遅く参入した中国が、フィンテックの段階を一気に飛ばしてネット銀行時代へ突入し、「デジタル人民元」の本格化を急いでいる。

となると中国政府にとってアリババ、その子会社アントや、テンセント、百度は目の上のたんこぶになります。

政府が管理する中国人民銀行にとって、アントなどの庶民銀行は脅威となってきたわけです。

アリババ傘下の金融企業「アント」は10億人とも7億5000万人とも言われる「預金利用者」を得ていた。アントは過去の取引データから、口座利用者の好み、買い物遍歴、返済実績を忽ちデータ分析し、ＡＩが利用者の信用度を推量し、与信枠を与えるのだから、これはまるでスーパー銀行といっていい。

その高度なフィンテックが、中国の既存の銀行を超えてしまったわけです。

中国銀行、中国建設銀行、中国工商銀行、中国農業銀行、そして交通銀行の、中国五大銀行が自分たちの商売が干上がると焦ったのも無理はない。

これら5大銀行は、政府債権の59％、人民銀行の85％、そして社債の44％を引き受けてきた。つまり庶民へのローンは少なく、融資先は国有企業ばかり。

資金集めは社債起債が中心で、銀行が直接に株式へ投資することはほとんどない。

人民公社などを「国有企業」に組み替え、経済改革を加速してきたのは１９９８年の朱鎔基首相時代からでした。

西側の会社のように組織改編したものの、外国の資本参入には厳しい制限をつけた。しかも共産党派遣の「政治委員」が企業内に居座った。

国有企業で決定権を持つのは社長ではありません。共産党から派遣された政治委員。これは、地方自治体の長が、政治委員の顔色をみるのと同じ構造です。

したがって中国における外銀のシェアは、２０１９年10月時点で僅かに１・22％。ちなみにアメリカでの外銀率は19・２％，ＥＵは52％，ロシアですら６・37％。

ゴールドマンサックスが、ようやく中国で１００％出資による現地法人を認可されたのは20年の11月になって。それも米中貿易戦争の結果、中国が妥協したからという背景があった。

**渡邉**　中国当局がもっとも恐れているのは、アリペイの決済システムに集まってくるビッグデータでしょう。

購買履歴、利用履歴、信用情報などがすべてアリババのサーバーに蓄積されているのですが、このビッグデータが中国共産党を脅かす存在になっている。なぜなら、中国共産党幹部の恥部をすべて握れる状況であり、そのデータを使って幹部を脅すこともできるからです。

金融と情報、この2つの武器を民間企業が持つことは中国だけではなく、どの国の政府にとっても脅威です。

**宮崎**　独裁システムの維持が大目的である中国共産党にとって、脅威以外の何ものでもないですよ、党内党ができているようなことだからね。「アント」のアリペイは、10億人が便利に使っている。つまり10億人の預金口座が、中国の国有銀行から民間へ流れたということになるのですが、だからといってアリババに「独禁法」を適用するというのは、もはやブラックユーモア。

中国共産党そのものが独禁法違反なのに、民間企業が成功すると、何が何でも潰す必要がある。いわば、イチャモンの類い。

香港の民主運動のイコン、ジミー・ライ（黎智英）を、「詐欺罪」で逮捕し、身柄拘束後に「国家安全法」を追加適用、あまりの法的な論理逸脱で、保釈せざるを得なくなったけれど、保釈金が1億3000万円と、法外な値段をふっかけて、財政的にジミー・ライをつぶしにかかる。ジミーは20年2月現在、拘束されたまま。日本で人気の高いアグネス・チョウ（周庭）もそうでしょう。

同様に共産党批判を口にしてしまったジャック・マーへも容赦なかった。

アリババの金融ビジネスは、中国政府が世界に先駆けて実験中の「デジタル人民元」を根底的に脅かす存在という認識に変わり、なんとしても、これ以上の普及を食い止めようとする動きが表面化。それが昨今の動きの背景ということです。

他方、中国人民銀行（中央銀行）は2020年師走に市場へ新たに1450億ドルを供給。国有企業大手の社債不履行が連続しており、倒産が目立ってきたため、社債の償還が目的、つまり国有企業の破産防止策ということです。

もっと厳密に言えば、倒産が秒読みの企業をなんとか人工呼吸器で無理矢理延命させている構図。

中国のＦＦレート（日本の公定歩合にあたる）は2・95％、1年もののＬＰＲが3・85％、

3年ものが4・45%とかなりの高金利。

当局のいう「無許可銀行」の代表格がアリババ傘下「アント」の発行するアリペイ（支付宝）、テンセントのテンペイ（財付通）などで、オンラインで有利な銀行口座を斡旋すると、0・2%から0・3%の手数料を稼げる仕組み。

中国の国有銀行の6カ月定期預金の金利は1・3%だが、アリペイなどを利用すると、3倍前後の金利となる。預金者がどちらを利用するかは火を見るよりも明らかでしょう。

預金はどっとアントやテンセントに流れ込む。これこそが、中国共産党が支配する中国国家の資金流通システムを破壊する脅威、と認識するのも無理はないでしょうね。いまさらながらアントが上場に成功していたらなぁ。

## アリババが台頭する中国の特殊事情

**渡邉**　今後、IT企業への圧力は強まることはあっても、弱まることはないでしょうね。中国共産党による一連の「アリババたたき」は「見せしめ」という側面もありますが、中国共産党がアリババを「私物化」しようと企んでいるという側面もある。

アリババが持つビッグデータを中国共産党が国有化すると同時に、アリペイが持つ巨大なプラットフォーム（基盤）を接収する――。その背景にはデジタル人民元の国際化がある。アリペイと、テンセントが運営する「ＷｅＣｈａｔペイ」、この二大決済アプリが海外に持つプラットフォームを中国人民銀行が手にすれば、海外でデジタル人民元を自由に使える環境が整うからです。

そもそも、なぜ中国政府がアリババの台頭を許すような仕組みをつくったかといえば、銀聯（ユニオンペイ）という中国のデビットカードから始まっています。

ロシアでもクリミア紛争のときに問題になったけれど、世界的に普及しているクレジットカード、ビザとかマスターカードは本部がアメリカにあるので、アメリカの制裁をかけられてしまうと、カードを使えなくなってしまうのですよ。だから、米国に依存しない独自のシステムをつくりたかったのです。

**宮崎**　クレジットカードの世界シェアを挙げると、２０１９年の数字では、ビザが56％、マスターが23％、アメックスが３％、ＪＣＢとダイナースが１％（ちなみに日本国内のシェアは、ビザが75％、ＪＣＢが48％、マスターが30％）です。ビザが約６割で、マスターと併せて８割のシェアですから寡占状態ですね。私は30年近くダイナースを愛用していますが、使えない店が多くて、結局ビザを併用しています。

**渡邉**　それで、デビットカードの仕組みをつくった。ユニオンペイは国有ではありますが、日本でいえば全国銀行協会がつくっているようなカードです。ただこれはクレジットカードと違って、銀行預金からその場で引き落とされるデビットカードなんです。

アリペイにしても、ウィーチャットペイにしても、日本でもビザやマスターから楽天ペイにつないでいたりするように、基本的にこのユニオンペイと結びつけています。つまり上乗りしていた。ところが、これが逆に決済を通じてすべての個人情報、そしてビッグデータをもつ存在になってしまったわけです。

あとは、中国の特殊事情として、個人間で資金を融通する「ピア・ツー・ピア（P2P）融資」の問題があります。結局、銀行とノンバンクという銀行以外のものがあるでしょう。原則として当局の監督下にある銀行とそうじゃないノンバンクを監督しきれなくなり、バブルが膨らみ過ぎて金融当局がコントロールできない事態に陥った。

日本でも、バブル末期に住専だとか、さまざまなノンバンクが飛ばしに使われて、最終的にバブル以降のコントロールをものすごく難しくした。後から、銀行の損失以上の金額が、隠れ損失として出てきてしまった。

**宮崎**　そう。だからＰ２Ｐは当局から全部つぶされたね。損失は30兆円を超えています。

**渡邉**　つぶされたので、その穴を狙うかたちで、アントが急伸した。

国家金融主義の下で、通貨の統制を図ってきた中国共産党にとってみれば通貨供給量や金利の統制が効かなくなるからです。

## 裏でうごめく上海閥叩き

**宮崎**　一説に、アント集団は、実は江沢民の孫の江志成が率いているという噂もあります。ともかく最大の株主です。江志成はハーバード大学に学び、アメリカのゴールドマンサックスで修業を積んで帰国し、香港に「博裕」という謎のファンドを設立しました。同ファンドは在米資産だけでも40億ドルとされ、パナマ文書やパラダイス文書にも、関連企業の錬金術についての指摘があります。

習近平は、香港における江沢民派の利権を狙って地下で権力闘争を展開してきたことは、広く知られています。

安邦保険、明天証券、これらは要するに江沢民派なのですよ。明天証券系の十一社を率い、証券取引を専門とした肖建華氏は、2017年に香港のフォー・シーズンズ・ホテルから中国公安当局に拉致されました。

　安邦保険集団の呉小暉会長は2018年、金融犯罪に手を染めたとして18年の懲役刑。中国華信能源の葉簡明（元）会長は、2018年の前半に身柄を拘束され。いまだに消息不明……というぐあいに。

　不思議なのが海航集団（HNAグループ）ですね。これは債務危機に陥ったものの王岐山が絡んでいるため救済措置がとられていましたが経営破綻し、事実上国有化しちゃった。これではっきりしたのが、もう王岐山は使い捨てで用済みだと。

## 米国の人民元つぶし

**渡邉**　一方の米国からすれば、アリババやテンセントが国有化された時点で、全力でこの2社をつぶしにかかるでしょう。
　デジタル人民元のプラットフォームとして2社のプラットフォームが使われてしまうと、ドル覇権を守る米国としては大きな痛手になる。

国際決済はいま「ＳＷＩＦＴ（国際銀行間通信協会）」を通じて行われており、銀行口座の「郵便番号」を発行しているのがＳＷＩＦＴであり、ドル覇権を維持するための重要なツールなんですね。また、米国はこのＳＷＩＦＴを他国に対して経済制裁を行う際のツールとしても利用しています。

ドル覇権を打ち崩したい中国は２０１５年、「ＣＩＰＳ（人民元の国際銀行間決済システム）」を導入した。人民元の国際化を図るうえで重要なツールであり、日本経済新聞によると２０２０年7月時点で97カ国・地域の金融機関が参加しています。参加銀行数を国ごとに見ると、第1位が日本であり、第2位がロシアです。

中国にとってデジタル人民元とＣＩＰＳがドル覇権に対抗するための重要な柱であり、これにアントが築き上げた金融プラットフォームが加われば、米国にとってはさらなる脅威となるでしょう。

**宮崎**　中国の究極的な狙いはＲＣＥＰ（東アジア地域包括的経済連携）を通して、中国版のＳＷＩＦＴとＣＨＩＰＳ（クリアリングハウス銀行間支払システム）の確立なのでしょう。

**渡邊**　ですから米国も本気でつぶそうとした。

２０２０年11月12日、トランプ大統領は中国人民解放軍と関係があると認定した中国企業31社に対して、米国人の投資家らによる株式の売買などを禁止する大統領令に署名。この31社は基本的に一帯一路の企業であり、ドルを調達する術を失わせてしまえば、一帯一路の計画はすべて止まる、というのが米国の狙いでもある。

同年12月3日、トランプ政権は中国共産党員約9200万人とその家族に発給する入国ビザを大幅に制限すると発表。このなかにはもちろん、ジャック・マーも含まれている。

2021年1月5日には、アリペイ、WeChatペイなど8つの中国系アプリとの取引を禁じる大統領令に署名しました。これは米国人のビッグデータが中国共産党によって悪用されるのを防ぐための措置です。

具体的な内容は商務長官が45日以内に決定することになっており、米国の安全保障上のリスクに対してバイデン政権がどう立ち向かうのか、1つの試金石とみていいでしょう。

中国が国際社会で大きな力を持っているのは表と裏の買収工作であり、これができなくなれば国力は一気に落ちる。退任直前になってトランプが対中制裁のハードルをどんどん上げたのは、後戻りできないところまで持っていこうという狙いからです。

## 共倒れのソフトバンクグループ

**宮崎**　アリババが国有化されるとなると、まっさきに頭に浮かぶのはあの孫正義氏が率いるソフトバンクグループ（ＳＦＧ）。相当まずいことになるんじゃないの。

**渡邉**　アリババ株のソフトバンクの持ち分は、現時点で24・９％。それとは別に孫正義氏が個人としてもっている株もあります。ＳＦＧがアリババの上場廃止で、買い取ればいいのだけれど、もし倒産というような憂き目にあったり、国有化で没収というようなことになったりすると、日本円で約15兆円の資産がゼロになってしまう。ＳＦＧの最大の資産はアリババ株ですから。ＳＦＧの純資産の多くがアリババの株式であり、米国でアリババ株が上場廃止になれば、ＳＦＧは債務超過に陥り、常識的に考えれば破産します。

**宮崎**　孫正義神話はアリババの成功によるものが大きいですからね。一方、鴻海は１１００億円相当のアリババ株をすべて売却してうまく売り抜けた。しかも鴻海はＥＶに進出すると言っています。

**渡邉**　ＳＦＧの苦境をいうと、通信業界大手である「ソフトバンク」がつぶれるのかととらえている向きがありますが、分けて考えることです。

「ソフトバンク」自身も上場しているという状況にあって、親会社のSFGがつぶれたからといって、子会社がつぶれるというわけではない。親会社の債務整理の過程で、ソフトバンクの携帯電話事業を他社、たとえば楽天に売却させる可能性はある。

SFGの規模は大きいが、単なる金融屋であり、生産設備を持つような実体経済に深く関わっている会社ではないので、破綻しても損をするのは出資者だけである。出資者の半数近くがサウジアラビアの政府系ファンドだ。

追い貸しをするか、レバレッジを進めて資産と債務を相殺して規模を縮小させていくかは、国内三メガバンクの判断となる。重要なポイントは、銀行が押さえている担保資産のなかにアリババの株式が含まれているのかどうか、です。

孫正義は何度も危機を乗り越えてきたが、ソフトバンクグループの命運はアリババ、つまりは中国共産党とバイデン新政権の胸三寸にある。

**宮崎**　ジャック・マーは150センチそこその小柄な人ですが、中国では鄧小平も胡耀邦も小人《こびと》でしたが、国を動かした。

だから「奇貨居くべし」と言う諺があります。

## ジャック・マーの日本への影響は大きい

**渡邉**　ジャック・マーの日本への影響はＳＦＧにとどまりません。ある意味日米中の政財をつなぐカギであり、その典型的な人物だった。
日本の政界との関係も深く、二階幹事長さん、森まさこさんらとのつながりも持っている。

**宮崎**　日高義樹氏の最新報告によれば「二階幹事長を切れ」という声がアメリカの上層部にあるとか（『バイデン大混乱――日本の戦略は』、かや書房）。

**渡邉**　米財界においても同様で、もしアリババに何かが起きるということがあれば、日本とアメリカの経済だけではなくて、政界も含めたデカップリングの大きなポイントとなる人物であり、会社であることは間違いない。
もしアリババが国有化されると、同社が投資している投資先への影響も、次の問題として出てくる。テンセントも同様で、次に国有化のターゲットになるでしょう。
そうなってくると、エンターテインメントにおいてさまざまなプラットフォームを持っているユニバーサルミュージックは、いま、テンセントが筆頭株主で、アメリカも株を持っていますが、米中のデカップリングに巻き込まれることが考えられるわけです。

日本のカジノの問題も含め、さまざまなところで名前がでてくるのがアリババであり、ジャック・マーなわけです。今回のコロナの問題においても、二階さんを通じて、マスクをキープし、そしてマスクを回収したのもアリババだった。防護服もそう。

いろいろなところで、アリババやテンセントは影響力を発揮している。たとえば、北海道の開発や、日本の農産物を中国に売り込むとなったときに、アリババやテンセントのプラットフォームなしに、カスタマーに日本の農産物を届けることは不可能です。全国各地でプラットフォーム・ビジネスを行い、行政向けのプラットフォーム・ビジネスが展開されている。

「中国で、おたくの農産物売りませんか?おたくの産品売りませんか?」と、そのうえで、うちのプラットフォームを使ってください。うちの物流を使ってください。そして、うちの倉庫に入れていただいたら、そこから先はうちがやります。というのが彼らの顧客と顧客をつなぐビジネスのモデル。

そこに自社のネットワーク、アリエクスプレスなどの物流ネットワークも持っているというのが強みで、それを日本や世界各国に対して、一帯一路と並行してやっているわけです。民間企業という建前で。

これが中国共産党習近平との軋轢で瓦解するということになると、物流側面でも大きな問題が生じてくる。

それを反対方向から仕掛けたのがトランプです。万国郵便条約を改正し中国からの送料の値上げを急激にした。

従来のビジネスモデルでいえば、たとえば日本だったら、商社なりが海外から輸入して、そこから卸しや小売店に入れたり、ダイレクトビジネスだったりで、アマゾンなどを通じて販売するわけですけれど、そうではない。

他国のプラットフォームに侵略するようなかたちで、そこで手数料商売をしているのが、アリババとテンセントの2社であって、これもある意味、中国共産党にとっては共産党を超える存在となり得るので、脅威であることはたしか。物流インフラを握られちゃっているので。

**宮崎**　民間企業というのは、中国ではそもそも成立しない。2～3人のラーメン屋とか、せいぜい寿司とか牛丼とか居酒屋のチェーン店は、共産党の脅威にならない範囲で許されているだけです。それは中国に進出している日本企業とて同じ条件なんですけどね。その自覚がないのでしょう。

ただ、アリババをつぶすようなことになると、中国の経済全体にも影響力を持つだろうから、習近平にとっても自爆につながるかもしれない。

**渡邉**　自爆と考えるのか、それとも共産党を維持するためのコストだと考えるのか。彼は日本と米国と中国をつなぐ非常にシンボリックな存在であり、ジャック・マーをうまく利用したほうが中国共産党にとっても得なのではないか、と考えるのが普通ですが。

だから住専の処理のように、段階的にばらしていくのではないかと一般的にはいわれている。

ジャック・マーは中国と米国、両国との間で股裂き状態になっていたということでしょう。マオイストである習近平、対中強硬姿勢を強めたトランプ、その双方から「制裁」を受ける厳しい状況です。しかしこれは日本政府や企業にとっても他人ごとではありません。

いま思えば、この流れをわかっていたからこそ、ジャック・マーは2019年9月にアリババの会長職を退き、その1年後には取締役を退任した。アリババの自己保有株の一部を売却し、資産の多くを海外に逃がし、経営の表舞台から完全に引退した――はずだった。

まぁ、2カ月以上の空白期間の後、ネットにリモートで姿を現しましたけどね。さすがに彼ほどの有名人になると、行方不明にし続けるわけにもいかなかったのでしょう。

**宮崎** 中国の企業家がたどる悲哀ですね。

# 第3章

# 日本経済
# 5大リスクと勝機《チャンス》

# 「2050年　脱炭素」という時代がほんとうに来るのか

**宮崎**　本章では、日本経済および日本企業にとってリスクと勝機《チャンス》を予測していきたいと思います。コロナ禍による世界リセットで日本経済にとって大きなリスクは5つある。電気自動車（EV）、半導体、中国依存、株暴落、円高。

まず、日本は2050年までに「脱二酸化炭素」を宣言しています。「カーボン・ゼロ」が新しい日本の目標となったわけですね。

歴史的巨視から見ると、第一次革命は、農業分野の改革改良と飛躍的生産。第二次革命は、蒸気機関の発明による産業革命。第三はIT、通信の大変革による通信革命だったとすれば、カーボン・ゼロは「第四の革命」。

しかし、2050年までにカーボン・ゼロを目指すという宣言は、本気なのかな？

**渡邉**　そもそもカーボン・ゼロの動きのはじまりは、アメリカ民主党のゴアがつくった環境利権です。

ゴア副大統領が大統領候補になったときに、環境利権ということで廃棄権をビジネスとして、新興国・先進国の間でそれを売買するという仕組みをつくった。ある意味、これを動かすためのプラットフォームがパリ協定だったわけです。

トランプ政権になって、なぜ米国がパリ協定から離脱したかといえば、環境利権は民主党にとっての票田だったからです。

その一方で、採掘技術の発展によりシェールオイル、シェールガスが採れるようになって米国は産油国に変わった。かつてエネルギー輸入国だった米国が、エネルギー輸出国に変わった。

カーボン・ゼロはその潮流に真っ向からぶつかります。

**宮崎**　そういう文脈ではアメリカは、ＥＶに対していちばん懐疑的だったし、いまでもあまり乗り気じゃない。ところがバイデンになって環境がガラリと変わるやＧＭが２０３５年までに全車をＥＶにすると衝撃的な大ニュースが飛び込んできました。

トランプのせっかくの努力によって、米国がエネルギー輸出国になったということを外交的にみれば、中東・アラブの産油国の重要性、発言力の低下を示しました。

国際政治でいちばんの重要ポイントというのは、実はここにあって、米国がイスラエルを公然と支援できる立場を得た。公然とイランを非難できるようになったのもそうした背景があってのことです。

**渡邉**　中東から石油を買わなくてもよくなった、ということですよね。それと同時に、産油国の立場でみても、自らの価値を低下させるようなパリ協定はマイナスでしかない。

そもそも、ほんとうに$CO_2$だけが地球温暖化の原因なのか、ということからして大きな疑問です。

ましてやもっとも$CO_2$を排出し、プラスチックゴミなど最大の環境汚染国家である中国を規制せずに、実際問題効果としてどれだけあるのか。

温暖化と言いながら今季の冬は、中国は大寒波に見舞われている。

**宮崎**　日本も襲われているよ（笑）。去年からの豪雪、北日本から北陸にかけてマヒ状態でした。私は金沢の出身なので、豪雪禍の経験があります。陸の孤島になるのです。

**渡邉**　この寒波のせいで、中国にとっても大きな政策転換期がきてしまった。

しかし、そのはじまりは、実は制裁のためにオーストラリアからの石炭輸入を止めてしまったことが原因です。豪州産の石炭は非常に良質で、不純物が少ない。他の国や中国の国産石炭は、イオウ分だらけで品質がよくないんですね。

**宮崎**　モンゴルからも輸入していますね。

**渡邉**　結局、それでは間に合わないし、豪州産の石炭に合わせて調整された炉で、他国の不純物の多い石炭を燃やすと焦げてしまいます。

## 電気自動車とグリーンエネルギーの限界

**渡邉**　スキー場に携帯電話を持って行ったことのある人はわかると思いますが、スキー場だと、普通10時間もつ携帯電話が30分で電波が切れちゃったりする。あまりに寒いと、電池が低温化で放電してしまい、ものすごく効率が悪くなるわけです。

テスラなどのＥＶも、フル充電で１５０㎞走れるはずのものが、30㎞ぐらいで止まってしまう。

**宮崎**　日本でも雪に閉ざされて止まった東北道では、最初にダメになったのが電気自動車でした。

２０２１年の１月に、北日本から北陸を襲った大雪、豪雪によって寸断された高速道路では、数千台のトラックが動かず物流が中断するという新しい危機が目のあたりに出現しました。ＥＶが各所で燃料切れを起こし、あれで、電気自動車の限界は見えてしまったわけですが、メディアはあまり大きく報道しませんでしたね。
電池技術が未完成のレベルにあり、充電スタンドが圧倒的に不足しているというのが現実なのです。おそらくガソリン車全廃となっても、ハイブリッド車の優位が続くでしょう。

**渡邉**　中国は、シベリアからの偏西風があるので、風力発電に期待していたのだけれど、寒すぎるので、風車が凍りついてしまうし、それを溶かそうにも、初動の電源がないと風力発電が回らない。それで、冬の間は機能しないのです。

**宮崎**　太陽光パネルも同じでしょう。

**渡邉**　天気が悪くなると使えない。特に雪が降る地域はパネルの上に雪が積もっちゃうので発電しない。

**宮崎**　中国にはもうひとつ原因があって、大気汚染で、空気中のゴミがパネルの上に溜る。それで効率が悪くなり、やっぱり太陽光パネルの発電ができなくなる（笑）。

**渡邉**　今回の寒波によって、問題点が噴出しました。
また日本でも、この4～5年の間に風水害が多発したことにより、太陽光発電の問題が露呈した。
たとえば、堤防に敷設した太陽光パネルのせいで土手の保水力が失われてしまい、土手が壊れたとか。大規模な発電施設が水に浸かってしまって、全滅したとか。太陽光パネルはタチが悪くて、一度燃えると、有毒ガスが出て、燃えつきるまで触れないのです。また、大雨で流されたら、流されながらも発電し続けるから、感電の恐れがあって近づけない。

さらに、耐用年数が15年くらいと、ものすごく環境負荷も高いのです。

また、核のゴミを問題にする人がいますが、太陽光パネルにもその種類によって、鉛、ヤレン、カドミウムなどの有害物質が含まれている。核のゴミ同様、大きな問題を抱えたものなのです。この処理をどうするのか。太陽光発電に関しては、これから処理の問題も噴出するでしょう。

処理コストだけをとっても、核の処理コストと同時に太陽光パネルの処理コストがいくらになるかわからないというのが現状です。

**宮崎**　パナソニックも21年度内に太陽電池からの撤退を発表しました。グリーンエネルギーとか、ソフトエネルギーパスとかいわれて期待されたけれど、いま、気づくと一時期の夢に過ぎなかったわけだ。

**渡邉**　そうですね。オーストラリアでは、太陽光パネルと既存の配電線の接続をやめる動きがあります。なぜかというと、太陽光発電によって生み出された電気は、ノイズがすごい。電力をワット数だけでみる人が多いですが、実はノイズの有無が非常に重要。ノイズのない安定した電力でないと結局使いものにならないのです。よく昔の蛍光灯がちらついていたのは、ノイズが理由です。電力のクオリティの問題ですね。フリッカーといって、ノイズがたくさん入ると、工業や精密機械に対応する現場では使えない。

また反対に、九州のように日照量が豊富で夏場の発電量が多すぎるという問題も生じている。電気というのは多すぎても周波数が乱れてしまうので、夏場は受け入れ停止をしだしています。だから、これ以上太陽光発電は増やせない。

**宮崎** 中国の場合は補助金つけたからブームが起きたんだけどね。

**渡邉** 日本もそうで、補助金だけじゃなく、固定価格買取制度という買取制度をつくって、初期の買取価格はものすごく高くて40円以上あったのが、どんどん下がって、2021年は10円もつかなくなっている。結局、太陽光発電の設備投資をするだけで儲かるというモデルをつくってしまったのです。

これで儲けたい人たちがたくさんいて、その人たちが反原発に走った。

**宮崎** みんな、浅はかなことをやるんだよなぁ。

**渡邉**　グリーンニューディール、グリーンエネルギーはイメージはいいのかもしれないけれど、日本においては限界にきています。

結局、安定したエネルギー源として使えるグリーンエネルギーは、日本においては地熱以外には無理ではないかということになってきている。

**宮崎**　ところが、火山列島でもあるのに地熱発電に関しては、日本がいちばん遅れている。

**渡邉**　その遅れている理由には、温泉の問題が絡んでいる。

地熱があるのは温泉地なので、温泉業者などが、泉源が出なくなるとかね、お湯がとれなくなるとかいって反対するのですよ。

ですから、グリーンエネルギーといっても、どこまで再生化のエネルギーに組ませられるかという問題であって、結局、エネルギーミックスの限界なのですよ。

**宮崎**　地熱発電は私も2カ所ほど見学に行ったことがありますが、北海道、岩手、秋田、宮城、福島、東京の八丈島。西のほうでは、大分、鹿児島などで行われているけれど、みんなすごく小規模でね。全部あわせても、日本の電力需要の0・3%くらいを賄うにすぎない。

**渡邉**　大規模な実験施設までは到達していませんね。

**宮崎**　日本列島のような火山列島の国においては、アイスランドのように地熱利用をもう少し見直さなければいけないと思います。

## 「アップル・ショック」はEVを一変させるか

**宮崎**　問題は、電気自動車の時代がくると本気でいう人がいますね。実際、テスラの時価総額は7000億ドル（約72兆円）と、約24兆円のトヨタの3倍でしょう。

**渡邉**　アップルも、自動運転技術を搭載した電気自動車（EV）の製造を外部企業に委託し、スマホと同様のビジネスモデルの構築をめざすと発表しましたね。

**宮崎**　アップルや「百度」がEV進出を表明し、メディアは「アップル・ショック」と評しています。

アップルのEVはライセンス生産で、連携先はBYD（中国比亜迪）、現代自動車などと交渉しているようです。また音楽配信などは、鴻海精密工業と交渉中らしい。

**渡邉**　アップルはGAFAのなかでも比較的物づくりに近い会社ですからね。アップルカーといっても、車をつくるというか、ライセンスだけですよね。だからスマホと同じようにアップルはソフトウェアを提供する。

**宮崎** ピエール・カルダンみたいなビジネスモデルじゃないの。ブランド貸しでしょ。ただ車のソフトは事実上、アップルは持っているのだから、あとは自動車メーカーに車をつくらせればいい、という戦略でしょう。

アップルだけでなく、「百度」は検索エンジンで、製造とは無縁のはずなのだけれど、自動車大手の吉利汽車と提携し、新会社設立を急ぐという。吉利は、ボルボを買収し、つづいてマレーシアの国民車プロトンに出資。自動車へ意欲的な進出姿勢を示してきた企業です。

EVは2020年におよそ200万台近く生産された。2027年には1000万台を超えると予測されている。

それにともない、2030年にイギリスのガソリン車の新車販売の中止、2035年を目標に中国もガソリン車の新車販売を中止、2040年にはフランスがガソリン車販売を中止する。

GMもフォルクスワーゲンも中国でEVの生産を本格化させる。

さっきも言いましたが、GMは、これまではEVにもっとも冷淡と言われたが、突如方針を転換し、2025年を目処に30種のEVを投入すると宣言した。
かくして、EVに投機資金が唸りを上げて集まり出した。
ただ報道を見ていて思うのは、EVを量産するのはいいとしてその電力はどうするのか、という問題です。電気自動車になると、いまのエネルギーの2倍いる。これまで話してきたように、電力の消費量が現在の2倍というのは、最大のアキレス腱ですよ。
そういう観点からEVが本流になるとは、とても考えにくい。

**渡邉**　トヨタの社長の言うとおりですね。

**宮崎**　じゃあ、電力はどうするの？　という問題は何も解決されていない。

**渡邉**　それでいて、脱炭素の流れは止まらない。

## 脱炭素は原発頼みという矛盾構造

**宮崎**　火力発電にしても、事業を海外5カ国で展開してきた三井物産が撤退を表明しました。ほかに三菱商事、丸紅、伊藤忠、住友などが石炭火力の発電所プロジェクトを展開してきたが、石炭は時代遅れといわんばかりです。

火力発電は石炭の他に重油を燃やす発電所もあり、日本の電気はこれらに支えられているというのに。

なにしろ、福島原発事故によって日本中の原発は止まったままです。

この10年、水力と火力に加え、風力、太陽光パネルに切り替えてなんとか奇跡的に、電力供給を維持してきたわけです。しかし、誰も電力会社に感謝しないんだよね。

ＥＶは、電気がないと使い物にならないのだから。したがって、電力の安定供給は既存の水力、火力に風力、太陽光、地熱をくわえても不足するのは、火を見るよりも明らかですよ。

中西宏明・経団連会長は「脱炭素は原発を活用するしかない」と明言していますが、それはそのとおりでしょう。

原発の再稼働がない限り、従来型の経済発展も無理。こうした重大な基礎用件を、なぜかメディアは伝えない。不思議です。

**渡邉**　中国の場合、１００基以上の原発をつくるとはいっていますが……。

それ以外にも電気自動車の問題点として、保存、つまり蓄電ができないということがある。電気の特性で蓄電が難しい。最大に効率が良い蓄電方法が揚力発電で、それでも38％

前後といわれています。

揚力というのは、水を上に汲み上げて、上の池から必要なときに水をおろして、おろしたときに発電するというすごく原始的な方法。

その原始的な発電を超えるエネルギー保存の方法がないのです。電力の最大の欠点はそこにある。

**宮崎**　結局、さしあたっては原発しかないんですよ。

ところが、今、日本で動いている原発は4基でしょう。設備としては50基ぐらいあっても。

**渡邉**　正直なところ、$CO_2$を削減しようと思ったら原発しかないのですよ。原発のいいところと悪いところというのは、原発というのはベース電源なので1回起動すると、ずっと同じ出力を保てる。ですから、出力の50％ぐらいを原発で維持しておいて、足りない分を別で補う。たとえば火力というのは、火を焚けば発電するし、火をおとせば発電しないので、ここで調節して、そして夏とか冬などのどうしても電力消費が急激に増えるときに足りない分は揚力発電で補う、というのが基本構造だった。

この構造がいま壊れてしまって、火力でベース電源部分まで補っているのでむちゃくちゃなことが起きるし、２０１８年9月の地震後に起きた北海道のブラック・アウトだって、泊原発が動いていたら起きていませんからね。

**宮崎**　電力会社はほんとうによくやっていると思うんだよね。だけど、だれも感謝しない。門田隆将氏原作の『Ｆｕｋｕｓｈｉｍａ 50』という映画を観ましたけれど、東京電力なんて、ほんとうによくやっているよ。1回も停電させてないんですよ。

**渡邉**　いまだって、全国的にエネルギーは逼迫していて、一桁台の余剰電力しかない。これも電力融通で、電力をほかの電力会社からほかの地域電力会社に融通しあっているうえでのことです。しかも電力運営推進機関（広域機関）によると20年1月の電力需要は寒波の前年比８％増でさらなる需給逼迫に追われている。

昔は、日本の明治維新前後の歴史から、東日本と西日本ではヘルツ数（Ｈｚ）、周波数が違ったので、融通がしづらかったのですけれど、長野に変電設備を拡大して融通しやすい環境をつくっているんで、いま何とかもっている状況にある。

**宮崎**　列車に乗っていると、米原で直流と交流を変えるんだよね。だから走っていて10秒ぐらい止まるのかな、走っていて車内が真っ暗になる。「直流と交流を変えました」といって、また走る。北陸新幹線でいうと大町かな、あそこで変えていますよ。

**渡邉**　これも3・11の震災のときに、周波数統一論とか、いろいろ出たけれども、結局何も進まずに終わってしまった。

**宮崎**　たとえば電子レンジなんて、娘が東京で使っていたのを嫁ぎ先の鳥取に持っていくといったら、使えないんですよ。だから買い替えた。

**渡邉**　東日本大震災のときに、それを統一するという話は一瞬出たけれど、それをやろうとすると、いまある設備の買い替えができない人たちがたくさん出てくる。

それで、買い替える手続きだとかをどうするんだと。使われている地域が広域に渡るので、その広域での対処を、たとえば何月何日から一気に変えるとすると、いろいろなところで設備が止まったりなどという問題が出るであろうというような話が出てきて、結局そのまま立ち消えに終わった。

とくに当時は民主党政権だったので、まともな政策議論がなされず、曖昧模糊としたまなんとなく消えていったという。ただ1つ、電力融通だけ前に進んだ。

**宮崎**　やっぱり、車でいうとハイブリッドが主流になることは変わらないと思いますよ。

**渡邉**　そう、エネルギー保存の法則からすると、ハイブリッドとか水素電池のほうが効率がいい。なぜかというと、発電してそのまま使えるから。ハイブリッドの場合、ガソリンというのは保存エネルギーだから必要なときだけ使って、余剰エネルギーを溜めておいて、それをＥＶで使う。

水素電池は水素から発電して、そのままそれをエネルギーに変えるので、エネルギーロスがゼロに近い。

それに対して充電型というのはエネルギーロスが非常に大きくなるので、効率としては決して国際的な競争力があるものではないのです。ただ環境要素、さっき言ったみたいに高熱だとか超低温だとか、非常時に使える部分と使えない部分がある。

ただＥＶのいい点を１つ挙げれば、停電が起きたときに電源として使えること。震災のときに、それがわかった。

だからせいぜいミックスでしかなくて、それにも限度がある。したがって、これはどこでピークアウトするのかとの話でしかない。

だから、ほんとうにカーボンフリーをやりたいのなら、物理的に原発再起動しかありません。

**宮崎**　中国との商売は大事にしなければいけないなんて、中国に関しては寝ぼけたことばかり言っている経団連でさえ、電力に関しては「もう原発しかない」と言っているのですから。

## 日本のフェリカの強み

**宮崎**　ＩＴ問題を論じましょう。

渡邉さんの予言のとおり、フィンテックによって銀行は半分どころかもっと死にそうになってきましたね。私の近くにあった三菱ＵＦＪ銀行の支店、ついになくなった。

**渡邉**　テレワークというかＩＴが進むことによって、金融の窓口対応をやらなくてもよくなったということが大きいのでしょうね。

ＩＴ化は今後ますます進むでしょうけれど、ただすべてのものがＩＴ化されＡＩに代替できるわけではない。しかもプログラムにエラーがでたり、サイバー攻撃を受けると正常に動かなくなる脆弱性がある。

たとえば中国のスマホ決済をみたらわかります。

日本のドコモが運営するｉＤやフェリカ、たとえばスイカやパスモは、カードタイプなら電気が切れる心配がない。これが中国のスマホ決済では端末の電池がなくなれば使えなくなる。これが最大の違いです。

したがって、中国のデジタルマネーの危険性でいちばん危惧されるのが停電です。ブラック・アウトしたら、買い物ができなくなってしまう。

中国でいま、大停電が起きたことによって、電子決済が進んでいるにもかかわらず現金を持ち歩かないといけない事態に陥っていることが、象徴的です。

**宮崎**　ところが、手元に現金がないんだよね。銀行に行かないと。

**渡邉**　停電によって、銀行のＡＴＭも止まってしまいますからね。

ＩＴ化は便利ですが、全部を代替するのはどだい不可能です。たとえば通帳でも、データだけだと安全性を担保できない。停電したらどうするの？　それが最大の問題。いくらお金を持っていても、たとえばハッキングなどによって、銀行から消えちゃう可能性もある。日本でキャッシュレスが進まないとされている最大の理由は、多くの日本人がそのことにかんする警戒感を持っているからでしょう。特に年齢が上になればなるほどその意識は高い。

**宮崎**　中国人の性格として、まず最先端のものには飛び乗る。これは、あの民族がずっと持ち続けているエネルギーというか、特徴的なものですよ。

ホテルにしたってそうでしょう。カードキーなど中国がいちばん遅れていたからこそ最新のものに飛びつくのが早い。日本はいまだに、むかしの南京錠みたいな鍵のところが残っている。特に老舗のホテル、ね。

**渡邉** これは新興国の強みの部分で、たとえばアフリカもあの広い大陸に電話線をひくことができなかったゆえ、最初から携帯電話が普及した。

**宮崎** フィリピンやインドネシアもそうですね。

**渡邉** よく、日本では電子決済が遅れているといわれますが、じつはフェリカの仕組みをつくったのは日本です。

いわゆる非接触型プラットフォームというのは、スイカとタイプA、タイプB、タイプCといろいろあるのだけれど、日本には、iDだとかクイックペイだとか、そういう非接触型のプラットフォームがあったので、あえてスマホのQR決済する必要がなかったのですよ。

だから逆にいうと、それが電子決済の普及が遅れた原因なのですね。

QR決済が、ほんとうに現物が存在するチップの決済よりもセキュリティ上優れているかというと、それは別の話なのです。なぜかといえば、iDにしてもクイックペイにしても、スマホにおける非接触型決済にしても、なかに物理的なチップが入っていてデータだけの証明ではありません。

その点、ＱＲコードというのは、デジタルデータでしかない。

まぁ、ないとはされているものの、不正とかコピーシステムがおちたときに、ハッキングが起こったときに不正がしやすい構造でもある。そのへんのリスクを、考えていない人が多い。

## 電子決済の背後に税金対策あり

**宮崎**　スマホに、たとえばドトールコーヒーのバリューカードを入れて、あれでピッと決済している人が最近急に増えた気がするのだけれど、それは大抵若い人だね。年寄りはいまだに現金で払っています。私なんぞ長らくガラケーでしたが製造中止となって、仕方なく「年寄りスマホ」に買い換えました。ところが機能が多すぎて使い方がわからない。結局、電話と万歩計しか使っていません（笑）。

**渡邉**　コロナの時代なので、なるべく現金を触らないという生活スタイルの変化もありますからね。ただQRコードなどを使っての決済に関しては、キックバックがすごくて、いまも「マイナポイント」といって2021年の9月末まで、使用額の25％還元される。つまり、2万円使うとポイントで5000円戻ってくる。

政府としては、そういうシステムで電子化を普及させようとしています。一定量普及するのはいいと思うけれど、これを全部現金に置き換えさせるのは前述したように別の話で考えなくてはいけないでしょうね。

なぜ政府が電子決済を進めているかというと、これは実をいうと、利用者のためではない。販売店の脱税を防ぐ目的もあるのです。

**宮崎**　現金だと帳簿上でいくらでもごまかしがきくからでしょう。

**渡邉**　auなどいくつかの決済業者が導入費用無料で1年間手数料無料、そのあとに3％なりかかりますよ、というキャンペーンをやっていますね。そうすると、みんながQR決済をはじめる。

たとえば、月100万しか売り上げがないと確定申告している商店で、スマホ決済だけで150万円の売り上げが出たということが確認されれば、じゃあ現金で売り上げはいくらだと、全部エラーで出てくる。税金を誤魔化しているのが、バレちゃうんですよ。

だから電子決済は、いちばん多い個人店等の現金売上の脱税を捕捉する手段として最高のもの。要するに〝見える化〟で、国税側に便利ということなのです。

**宮崎**　税務署は職務上、あらゆる手段を講じて税金を取り逃がさないようにしなくちゃいけないからね。

**渡邉**　若干スマホのキックバックをしたところで、普及させ税の捕捉率を上げたほうがいい。主税局の仕事は、国税の捕捉率を上げることですから。脱税を捕まえることではなくて、税金を払っていない国民を極力減らしていく。正しい納税を進めていくというのが目的です。そういう面では、スマホ決済というのはとても効率的なのです。

ただこれに関しても、さらに進むことは確かでしょうし、取扱い額も増えていくことも確かでしょうが、大きな問題があって、いわゆる決済税を払わされる。

販売店が、3％なり3・5％という手数料を、カード会社に負担させられるわけです。いままでは、現金で1000円の売り上げがあれば1000円の収入だった。ところが1000円売っても、販売店には965円しか入ってこないのです。

これを常にとられ続けるというのが大きな問題で、逆にいうと、これはすごく大きな利権の話でもあるわけです。日本人全員が消費する額の3％なりが、カード会社にチャリン

チャリンと入っていくということになりますから。

**宮崎**　要するに、中国でチャリンチャリンとお金が入っていく仕組みをつくったのがアントなんですよね。だから前章でもみてきたように銀行でもないくせに、アントが銀行の業務をほとんど横取りしてしまっている。

これは中国共産党としては、許しがたい存在ですよ。

## 世界半導体争奪戦

**宮崎**　2020年の秋くらいからですか、深刻な半導体不足に陥っていることがあらわになりましたね。

これも、新型コロナウイルスが原因で、テレワークの普及によって、データセンターの需要が高まり、パソコンに使う電源管理用の半導体がまず足りなくなった。そのうえ、中国の自動車市場が回復して、車の半導体が足りなくなった。

**渡邉**　一般的に、ガソリン車1台には100~200個の半導体が使われているといいます。EVはその2倍。もっと具体的にいうと、動きを制御するマイコンや、電気を効率よく使うために使うパワー半導体で、車メーカーは車部品大手から、これらの半導体を調達していました。

それが足りなくなって、トヨタも止まったし、ホンダも日産も止まっている。

ドイツのフォルクスワーゲン（ＶＷ）が、中国や北米、欧州での生産調整を発表。アメリカのフォード・モーターも北米の一部工場の停止を表明。

三菱ＵＦＪモルガン・スタンレー証券の見解では、減産規模は２０２１年の１～６月、世界で１５０万台前後とみています。

日本でも、ホンダは1月に小型車「フィット」など約４０００台を減産。日産自動車も、国内で主力の小型車「ノート」の減産を発表。トヨタ自動車もアメリカなどで生産調整、スバルは、国内唯一の生産拠点である群馬製作所で稼働が止まる日もあったとか。

この半導体不足の原因は何かというとコネクテッドカーや5G、ＩｏＴ（モノのインターネット）による半導体の需要が急激に増していると。それと同時にプレイステーション5だとか任天堂のＷｉｉ（ウィー）などのゲーム機が、コロナでみんな家にいるからものすごく売れて需要が増している。

**宮崎**　えらい売れているらしいですね。

**渡邉**　それでさらにリモートワークの拡大によって通信できる機械、ノートパソコンなどのリモート用端末も売れている。そうするとCPU（中央演算処理装置）が足りなくなります。CPUをつくっているのは台湾のTSMC、韓国のサムスン、あと米国のグローバルファウンドリーズ、そして中国の中芯国際集成電路製造有限公司（SMIC）、日本のルネサスなどあるんだけども、ルネサスの場合は車載用などでも特化して一般的な半導体はほとんどつくっていない状態なのですが。

なぜこれを量産できないかという理由が面白くて、なんと味の素のせいなのです。

**宮崎**　え、味の素が？

**渡邉**　味の素。日本の味の素が、味の素で培ったアミノ酸に、半導体をつくるときの絶縁体、味の素のアミノ酸技術でつくられた絶縁被膜がないと世界の積層型半導体が作れない。シェア100%なんですって。世界中で。これがないと半導体の生産が止まる。つまりこの供給量に合わせてしか世界中の半導体はつくれないということです。

だから、世界的な半導体不足の陰の犯人が、味の素ということになるわけです。

現在、半導体がなければ、ほぼすべてのハイテク製品がつくれません。当然、戦車も衛星もミサイルも戦艦も……シェア100%ですから、これこそ日本の戦略物資であってね、結局そのフィルムができないだけで衛星は飛ばないでしょ、ミサイルは飛ばないでしょ、核開発できないでしょう。

**宮崎**　他の外国企業は真似できないんですか？

**渡邉**　真似ができないんです。他でつくれない。しかし、日本にはそういう企業がたくさんあるんですよ。たとえば村田製作所の積層コンデンサとかですね。だから、こういうのを見直すのが１つ重要で、やっと経産省も３年前ぐらいから動きだして、オンリージャパン、オンリーワン技術を明示して、外為法とともに海外に買収されないように、そして日本国内できちんと技術を確保できるように絞めつけていくと。確実に守っていくという方向性はもう出ているので。

これが動き出すと日本の製造業を含む国際的地位の改善というか、復活の１つの要素にはなるのかなということがいえるのではないかと思います。

## 日本の半導体企業が中国から制裁をくらったら

**渡邉**　米国は米国の技術を含む、最先端技術の提供に関して中国に輸出できないんですね。

その影響をもろに受けている典型が、中国最大の半導体生産メーカーSMICです。

**宮崎**　米国政府は、2020年9月に、中国通信機器最大手のファーウェイへの禁輸を厳格化。日本の半導体メーカーなども、同社との取引を止めました。

これはもちろん、禁輸の根拠である米国の輸出管理法に、外国の企業や個人にも順守を求める域外適用の項目があるからです。

これに対して中国商務省は、対中制裁に同調した国の企業などを相手に、中国企業が損害賠償を請求できる規則を施行した。

新規則では、海外の法律の域外適用ルールによって中国企業が第三国企業との貿易を阻害された場合、30日以内に商務省に報告しなければならない、とされています。

**渡邉**　日本が、アメリカ側の制裁意見に従って、中国に輸出しないと決定すると、必然的に日本の半導体メーカーが、中国から制裁をくらってしまう可能性がある。

これ、どうするの？　ということになる。

**宮崎**　日本の半導体メーカーで中国から制裁をくらったら、厳しいところはありますか？

**渡邉**　短期的にはダメージを受けても、ファウンドリーなら代わりがあるので、それほどでもないと思います。ファウンドリーは半導体を受託生産する会社ですが、最大手が台湾

ＴＳＭＣ、そして韓国サムスン、米グローバルファウンドリーズ、そして中国のＳＭＩＣです。

結局、最終的なチップの消費量が変わらなければ、納入先が変わるだけなのです。

以前、アメリカがオランダのＡＳＭＬという半導体生産メーカーの最先端のプロセスの生産機械をＳＭＩＣが注文していて、納品する予定だったのを止めたので、その機械が納品できなくなったことがありましたが、結局中国に納品できなくなっても、ＴＳＭＣやサムスンがよろこんで買いますから。

**宮崎**　日本勢もルネサスやキオクシアが巻き返してきましたね。ルネサスは勢いがついて、2月8日には英国の半導体企業をまたまた買収すると発表しました。

## 半導体の最先端技術、微細化と3次元化

**渡邉**　ここで、ファウンドリーの上位4社の最先端技術、「微細化」についての最新情勢を説明したいと思います。

半導体不足により世界の各国政府が台湾当局を通じ、ＴＳＭＣに増産の協力要請を行う

異例の事態を迎えていますが、ＴＳＭＣの存在感が圧倒しているのもこの技術が優れているからです。

**宮崎**　アップルやクアルコム、ソニーさえもＴＳＭＣ詣でをしているというじゃないですか。またＴＳＭＣは日本に工場進出も決めました。

**渡邉**　本格的な開発拠点を茨城県つくば市に設立することが決まっています。ＴＳＭＣが5ナノ（ナノは10億分の1）メートルの半導体を世界で初めて量産したのが、２０２０年春です。業界2位のサムスンは20年末に5ナノの量産をはじめている。

インテルは、まだ7ナノの段階ですが、これはＴＳＭＣの5ナノ品に匹敵するともされるものですが、その量産は23年までずれ込む見通しのようです。

中国のＳＭＩＣに至っては前述のように2世代前の14ナノの段階です。ＴＳＭＣはすでに次の3ナノの量産も22年まで、2ナノを24年に予定している。

なぜ微細化が重要かといえば、チップに書き込む回路の線幅が小さくなるほどトランジスタの搭載量を増やせて、半導体の性能が向上するからです。あらゆる半導体の性能が高められますが、特に演算を担うロジック半導体ではこの技術がカギを握ります。

「ナノ」といわれてもよくわからないと思うのですが、人間の目に見える可視光の波長が

400～700ナノなので、それよりもはるかに微細で、高い技術力が求められる世界なのです。ですから、SMICの14ナノだって高い技術であることは間違いありません。

**宮崎**　だから中国が官民挙げてのSMICにも需要があるわけです。

**渡邉**　日本でもソシオネクスト（富士通とパナソニックの半導体事業を統合）が5ナノの開発計画を発表しています。

一方、微細化で後れをとっているインテルは「3次元」の技術で巻き返しをはかろうとしています。「3次元」というのは、半導体の開発競争でチップを縦に積み重ねる技術です。配線が不要で省エネになる半面、排熱や位置合わせが難しい。

同社のCPUはこれまで、「電源」「計算」「記憶」などの機能を担うチップを平面に並べていたのを、新製品では3階建ての家のように、チップを立体的に積み重ねた。そうすることによって、配線による電力ロスがなくなるため、待機電力を9割減らせ、しかも階層を1つ積み上げるごとにデータ処理のエネルギー効率が3倍になるという（2020年12月7日付「日本経済新聞」）。

中国レノボ・グループが画面を折りたためるパソコンを発売しましたが、それにこのインテルのCPUが使われています。

この3次元化の技術は、サムスンも追随しています。

**宮崎**　微細化のための設備投資は莫大な資金がかかるんですよね。5ナノだと3兆円以上でしょう。限界がある。

**渡邉**　IoTなどのデータ産業の世界の市場規模は30年に404兆円に達するという予測もありますからね（電子情報技術産業協会）。そのシェアを取りに来ているのだと思います。日本企業でも3次元化の需要を当て込んで動いております。たとえば、切削装置を手がけるディスコや東京精密は、半導体を薄く削る技術を提供します。市場はこの2社で独占です。半導体を保護するパッケージング技術も必要ですが、これはイビテンや新光電気工業がリードする。

また、日立製作所とパナソニックなど4社と東京大学は「先端システム技術研究組合」を設立し、3次元積層を活用し、エネルギー効率を10倍に高める半導体の研究開発などを進めています。

レーザーテックは微細化技術であるEUV（極端紫外線）を使った検査装置で世界トップシェアです。

実は、TSMCは3次元化では遅れをとっていて、そのことが同社の日本進出を後押ししている面もあります。

**宮崎**　半導体はかつては日本の御家芸だったのに、日米半導体協定で枠をがんじがらめにはめられ、米国の圧力によってつぶされた。その間隙をぬったのが韓国や台湾企業でしょう。生産能力シェアは両国で43％で、米国の12％と大きく離れています。ちなみに中国は15％。また、先端半導体の量産に必要な300ミリウエハーを用いる半導体工場だと台韓で47％。

半導体の開発は莫大な費用がかかるから、以前は開発から製造まで垂直に1社でまかなっていたのを、開発は欧米のファブレス企業、製造はファウンドリーと水平にわけてきた。当初はTSMCなど下請けの感覚だったと思いますよ。それがいまや立場が逆転した。

**渡邉**　日本政府も半導体関連の国内生産基盤の投資支援を決めています。

## 中国の半導体企業SMICに協力する台湾人技術者

**宮崎**　TSMCはアメリカ政府にいわれてアメリカのアリゾナに工場をつくると約束した。一方、TSMCから3000人の台湾人エンジニアが、中国のSMICに移っているのですよ。経営者も移っている。

ＳＭＩＣというのは、そもそも台湾人が中国につくった会社です。したがって、ものすごくあやしい関係にある。

**渡邉**　馬政権のときの話で中国が半導体をつくりたいということで、ＴＳＭＣがＳＭＩＣに一部供与した。そのあとＳＭＩＣが金の力で経営者とか従業員３０００人近くを３倍とか5倍の給料を出すからということで、引き抜いたわけです。

その中には、ＴＳＭＣの共同最高執行責任者（ＣＯＯ）もいる。

**宮崎**　蔣尚義氏ですね。

**渡邉**　たしかに中国の半導体技術は、ほとんど台湾から渡っています。しかしここ2年ぐらい前からは米国から技術の移転の防止ということでガチガチにやられて、台湾当局も米国政府の依頼で、ＳＭＩＣに、「ＴＳＭＣの中国工場に最先端のプロセスを移す、つくってくれと中国側の要請があったけれど、これを蹴るように」と、命じたのです。

だから、ＴＳＭＣの中国工場も、2世代くらい前のプロセスまでしかつくれないと思います。

**宮崎**　それはもう、意図的にそうでしょうね。設備の更新をしなければ。ただし台湾人ビ

## 相次ぐ中国の半導体プロジェクトの挫折

| 社内（所在地） | 事業の開始時期（年） | 主な製品 | 投資規模 |
|---|---|---|---|
| 弘芯半導体製造（湖北省武漢市） | 2017 | 半導体受託生産 | 1000億元規模 |
| 徳准半導体（江蘇省准安市） | 2016 | CMOSセンサー | 120億元 |
| 坤同半導体科技（陝西省西安市） | 2018 | フレキシブル半導体 | 400億元 |
| 創芯集成電路（湖南省長沙市） | 2010 | シリコンウエハー | 3億ドル |
| 華芯通半導体技術（貴州省貴安新区） | 2016 | 半導体チップ | 18.5億元 |
| 格芯集成電路製造（四川省成都市） | 2017 | 半導体受託生産 | 70億元 |
| 晋華集成電路（福建省晋江市） | 2016 | DRAM | 60億元ドル規模 |

（注）一部現地報道。投資規模は計画で、実行していないケースを含む

ジネスマンを「台商」と言いますが、中国に80万人もいる。彼らはカネを稼げれば良いのであって米国の制裁など迷惑千万と思っています。

**渡邉**　最先端の設備が入っていますのでね。

そういう状況で、ＳＭＩＣが人民軍の支配下にある企業の指定を受けてしまったので、ドル建ての起債とか、さまざまなものにも制限がかかってしまう。そして２０２１年１月11日を超えたので、アメリカ人はＳＭＩＣに投資できなくなってしまった。

**宮崎**　前述のようにＳＭＩＣの技術

力というのは、2世代は遅れていても、車や家電に搭載する分には、その程度のレベルで十分間に合う。そうした需要も確かにあるのです。TSMCを米国が脅威視しているのは、次期F-35戦闘機に使う半導体をアメリカではつくれないからです。それでアリゾナ州に、TSMCを無理矢理誘致した。でも工場建設は遅れていて、まだ起工式のニュースは入っていないですね。アリゾナ州は砂漠の印象が強いけれど野球のキャンプ、ゴルフ場、野生的な別荘などがあって人口が急激に増えた。

**渡邉**　軍の使う半導体は、全部TSMCで買うという約束。2021年の1月には、日米独など、不足の早期解消求め、独米日など各国政府が、台湾当局に半導体増産などの協力を要請しているという記事が出ていました。

**宮崎**　2020年の台湾の輸出額は、19年比4・9%増の3452億ドル（約36兆円）で、過去最高だった。

**渡邉**　TSMCがつくばに開発拠点を設立することは先に述べました。最終的には、北九州になると思いますが、TSMCのファウンドリーを日本に誘致するということですね。

なぜTSMCが日本に半導体工場をつくるかというと、結局高純度の最先端プロジェクトに対応できる高純度のシリコン生産機械とか、フッ素を含む希少な製品は、日・米・台湾の中では、ほとんど日本でしか調達できないからです。

台湾の現地工場でつくっているフッ化水素も高純度なんですが、日本のものの方がさらに1ケタ、2ケタ上の純度を出せる。したがって、原材料を日本で用意して、向こうでプラントに合わせて調整していくよりも、日本で最終調整品まで上げたほうが高純度のものができるということがその理由のようです。

**宮崎**　もう1つは、台湾には中国のスパイが相当入っているからね、やっぱり、日本のほうが安心なのでしょう。韓国のサムソンにしたって、技術情報は中国に流出していました。

**渡邉**　安心だし、やっぱり安定したメンテナンスができるというところだと思います。

**宮崎**　渡邉さんが、味の素が100％独占しているといったのは、その半導体の絶縁フィルムですね。

もう1つ、露光工程の感光材に使用するフォトレジストは、富士フイルムHD、信越化学工業をはじめとした日本メーカーだけで世界シェアの8割を握っています。それからシリコンウエハーもやはり信越化学とか、ほとんど日本勢が占めているのではないですか？

**渡邉**　サムコ（SUMCO）とか信越が約70％のシェアなのですが、ただし高純度ということでいうとほぼすべてです。

**宮崎**　高純度では、すべてですか。日本の技術力の世界一が意外な分野には残っているのですね。

**渡邉**　ただ、それは日本の工場だけではないですけれどね。メーカーとしたらと、いうことではほぼすべて。

信越とサムコの2社ですね。日本は、半導体はつくっていませんが、半導体をつくる機械からラインから素材から製品まで、全部一貫してプラットフォームとして提供できる唯一の国かもしれません。

**宮崎**　それでキオクシアとかルネサステクノロジーとか、要するに日本の半導体はアメリカにいっぺんつぶされたけれども、なんとか回復途上にあることはあるわけですよ。

**渡邉**　日本は、半導体をつくる機械と素材と、そして技術を全部持っているけれど、ファウンドリーがない。

**宮崎**　半導体の設計は？

**渡邉**　設計はアメリカです。残念ながら設計はアメリカとイギリスが中心で、アーム（ARM）とシノプシスなどの設計支援メーカーです。ものづくりのハードウェアのほうに関しては、日本は非常に特化している。

だからアメリカと組むのがいちばんよくて、アメリカと組むと、中国も手出しができないということになっている。逆にアメリカにとって、日本を失ったらそれでとまる。

**宮崎**　なるほど、それもまた日米同盟ですか。

## 日米英が目指す5Gプラットフォーム

**渡邉**　これを活用したのが5Gなり6Gの計画です。米英と日本が5Gのプラットフォームで、6Gを見据えた動きの一部で、すでにはじまっている。

日本は、次世代通信規格「5G」の基地局開発競争で、フィンランドのノキア、スウェーデンのエリクソン、そして中国のファーウェイといった大手に後れを取っていましたが、ファーウェイ機器の除外を米国が同盟国に求めたことで、ここへきて風向きが変わった。

イギリスは、国内無線通信網サプライヤーの多様化のために2億5000万ポンド（約350億円）を投じる計画を発表し、「同じ考えを持った国々」に協力を求めた。これに対してNECは、英国に事業開発拠点を設立、5Gのグローバル展開に協力する姿勢を見せています。

また5Gネットワークの整備促進を含むデジタル化を成長の柱の1つに位置づける日本も、1兆円規模の予算を確保する方針を、菅首相が2020年12月4日の記者会見で示しています。

**宮崎**　日本のNECとかNTTあたりが加わるわけでしょう？

**渡邉**　NTTがドコモを買収したのですが、もうドコモというプラットフォームがなくて、NTT本体が通信ネットワークを背負うという態勢になっています。

結局なぜこれまでファーウェイが優位だったかというと、5Gの通信ネットワークを担っているのは、ファーウェイ、ノキア（フィンランド）、エリクソン（スウェーデン）の3陣営なのですが、基地局および端末生産まで一貫生産しているのはファーウェイのみです。したがって、ファーウェイはセットで販売することができ、新興国には融資までつけて売ることができた。

それに対して、ノキアは基地局をNECやサムスン、エリクソンは富士通に委ね、端末は各携帯キャリアが生産しています。つまり、一貫した構造になっていないのです。

したがって、これではまずいということで、6Gでは、通信事業者がアライアンス（同盟）を組んで、通信事業者のグループが主導する形でシステムと基地局側を飲み込む形で開発を進める予定です。日本勢ではＫＤＤＩやソフトバンク、楽天モバイルなどの通信キャリアのほか、富士通やＮＥＣ、京セラ、東芝、住友電気工業など、ネットワーク開発のあらゆる部分で関連するメーカーやシステム企業が名を連ねる。

これができれば、現在のファーウェイ同様にシステムをワンセットで世界各国に販売できる。６Ｇの実証実験に成功し、それを主導しているのがＮＴＴという構図です。

**宮崎**　なにしろ5Ｇで中国に負けたことを認めたトランプ前政権は、日英と組んで６Ｇで巻き返しにでる戦略を取り始めたばかりでした。

**渡邉**　ＮＴＴといえば、グループ会社および３メガ＋民間30社超が連携して、日本でデジタル通貨の発行に向けた取り組みも行います。２０２２年の実用化を目指し、デジタル通貨の共通基盤を実用化する。業界の垣根を越え、決済基盤を整え、企業間取引のデジタル化にもつなげるといいます。企業主導ということでは世界初の試みです。

先ほど味の素のことを話しましたが、通信関係だけでいっても日本に30社ぐらい、日本でしかつくれないメーカーがあるのですよ。世界シェア１００％の企業が。ただ後方支援部分だからそれが見えない。

たとえば、アンリツという会社は日本の検査機器メーカーですが、この会社の検査機器と測定や設計技術がないと5Gのネットワーク構築が難しいわけです。

日本政府としては安倍総理が、そのようなオンリーワン企業を割り出し保護するという方針を決めました。その上で、甘利さんを中心にその実現に向けて動き出しています。そして、来年2022年の通常国会までに経済安全保障に関する法案をつくる予定になっています。まぁ、動きが遅すぎるのも確かですが……。

## 「ワクチン株高」は続かず、ウォール街から下落へ

**宮崎**　世界市場を見渡せば、コロナですっかりビジネス界も様変わりした。「巣ごもり」特需はなんといっても収益が90倍になった「ズーム」が筆頭でしょう。

また、在宅勤務が拡がり、暇をもてあます人は自宅で仕事もそこそこに映画を見た。「自宅映画館」のバカ当たりを取ったのが、新顔の「ネットフリックス」。そして宅配サービスのウーバー。

特需三傑は、「マスク」「検温器」「消毒液」。家電は加湿器、端末、調理家電。

異常な現象が続いた2020年が終わりましたが、なぜか日米の株式市場が上昇を繰り

返している。２月15日に日経平均は31年ぶりに３万円台を回復しました。

工場は生産低減、町を歩けば人通りが少なく、新幹線自由席には５％の旅客しかいない。Ｇｏ Ｔｏ停止で、観光地もホテルも温泉旅館も土産屋も閑古鳥、居酒屋、レストランはシャッターを下ろしている。雇用を失った失業者があふれ出しているのに、なぜ株高？

コロナ禍で、株価が高まることは異常現象の最たるものですが、要するに主要９カ国の中央銀行が介入したからで、このため中央銀行の資産は10兆ドル膨張した。いつか逆転するでしょうが、その時は株価暴落につながりかねない。

**渡邉**　コロナ以降の日米の株高は、これにはいくつかの要素があるのですが、おっしゃるとおり、最大の要素というのは世界的な量的緩和政策ですよね。あふれた資金が資産に向かい株高を演出した。先ほどいったようにまず不動産は都市部の投機用物件がコロナ禍のため下がっちゃっているんですよ。

不動産の価値は家賃利回りです。たとえば月々10万円の家賃で12カ月ということは年間120万の収入になります。1000万だと年利12％、2000万の物件だと６％という計算で、利回り計算するのですよ。これが年間投資のリート（不動産投資信託）の基本なのですね。

ところが賃貸解約、ガラガラじゃないですか。オフィスビルもテナント需要も、商業用不動産もだめなので、そうすると資金は不動産投資にはいかない。

**宮崎**　東京の人口も劇的に減少化の方向性が見えました。

**渡邉**　また、国債などの債券も低金利政策でうま味がないから資金の行き場が株しかなくなってしまう。

また、外国人投資家が売買の70％を占め、多くは個別銘柄ではなく、ETF（上場投資信託）を買っていますから。したがって、総体的な株価が形成されやすくなる構図になっている。しかもETFの最大の買い手はこれまで最大の買い手だった機関投資家のGPIF（年金積立金管理運用独立行政法人）を抜いた日銀です。

年金資金等の買い支え、それとプラスα外国人投資家投資金の流入。この2つの要因と他に投資するものがないと、この3大要素が、株価上昇の大きな要因といってよいでしょう。

それで企業のファンダメンタルズ（経済の基礎的諸条件）を無視して、株価だけが上がる。いわゆるマネーゲーム的な展開での株価上昇というのが、2020年からいまに続く特徴だったといえると思います。

**宮崎** その結果、2020年末に世界の株式時価総額は15兆ドル増えて、ウォール街は空前の3万ドル台を突破しました。トランプ政権のときでしたが……。

**渡邉** その一方で、2020年は、たとえば航空株なんて結局どうしようもなかった。

英国の地域航空会社フライビーは経営破綻。アメリカでは、1月から3月までだけでも、米アメリカン航空が40%、LCCのジェットブルー航空なども3割超の下落率。ニュージーランド航空やマレーシアのLCC、エアアジアなど下落率が2割以上。試算では、2020年は、630億ドルから1130億ドル（約6兆7千億円から約12兆円）の減収になるとされた。これが3月の時点で、です。

航空会社は、世界中まともにやっていたらほぼ全滅する状況でした。だから各国政府が支援をしたり融資をしたりということで生きながらえさせた。

しかし、こういう状況は、「逆にいえば底値だ」と考える投資家もいて、だから上がるという株価もある。ただいまは配当が出ない株式ばかりになっているのです。結局、会社の利益が出ていないですから。

米国の1兆9000億ドルの財政支出への期待などから株価は上昇を続けてきたが、バイデン大統領就任とともに、期待による大幅な上昇は収束し、市場は織り込み済みの反応を示しています。逆に長期金利の上昇やドルの下落により、これ以上の財政出動は難しいという見方が生まれ、それがリスクを見直す動きにもつながっている。

まぁ、株価の行方はハネムーン100日が、1つのポイントになるのではないでしょうか。

## 世界のワクチン開発状況

**宮崎**　株というのは基本的に夢を買うものです。やっぱり夢的要素の高いテスラには、より金が集まってくる。反対に、夢を急速になくしている企業などは、失速死している。しかしワクチンの効果への期待は過剰過ぎる気がします。

ワクチンだって、いっぺんかなりリードしたけれども、やっぱり接種しないという人も多くなって、ワクチン株の上昇は止まったんじゃないの？

**渡邉**　ワクチン株に関しては、ファイザーとかは、2020年の12月には40ドルにもなる勢いでしたが、2021年の1月には36ドルほどに、もうほとんど落ち込んでしまいました。

なぜかといえばワクチンは、政府との契約によってそれほど儲からないことが判明したからです。

結局世界的な圧力が強くて、高値で売れない。開発費も膨大です。少しは儲かっても、決してぼろ儲けにはつながらない。新薬、ほかのそういう特効薬のようにはいかないのです。

そういうこともあって、最終的にはほぼタダ。政府支援を受けてほぼ利益がでないようない。だから、アストラゼネカが、利益を目的としない価格で世界中に供給すると言っていますね。

**宮崎**　完成すればいいという感じですか？

**渡邉**　まぁ、そうせざるを得ない製薬会社の事情もあって。それと同時にいま、一番手グループ、ファイザー、アストロゼネカ、モデルナ、そしてここにヤンセン、ジョンソン＆ジョンソン、ノババックスらが参入してきて、そろそろ二番手グループのワクチンの臨床結果がはじめている。

具体例を挙げると、２０２１年１月の段階で厚生労働省が把握しているコロナワクチンの開発進捗状況は、海外の物は、アメリカのファイザー社がｍＲＮＡワクチンを２０２０年中に最大５０００万回分、２０２１年末までに最大20億回分のワクチン生産を見込んでいる。

イギリスのアストラゼネカ社とオックスフォード大学は、ウイルスベクターワクチンを、全世界に20億回分を計画。その内訳は、アメリカに３億回分、イギリスに１億回分、欧州に４億回分、新興国に10億回分を供給予定。

アメリカのモデルナ社は、ｍＲＮＡワクチンを、全世界に年間５〜10億回分の供給を計画。２０２０年12月中に米国内に２０００万回分の供給を計画。

アメリカのジョンソン&ジョンソン社（ヤンセン社）は、ウイルスベクターワクチンを、２０２１年から順次、大量供給（世界、年に10億回規模）を目指す。

フランスのサノフィ社は、組換えタンパクワクチン、ｍＲＮＡワクチンを研究。組換えタンパクワクチンに関しては、うまくいけば２０２１年第４四半期に実用化の見込み、と発表。

アメリカのノババックス社は、組換えタンパクワクチンを、２０２０年末に、年間１億回分の生産を目標としています。

また、国内のコロナワクチン開発進捗状況は、塩野義製薬と感染研／ＵＭＮファーマが、組換えタンパクワクチンを、２０２１年末までに３０００万人分の生産体制構築を目標。

第一三共と、東大医科研が、ｍＲＮＡワクチンを、最短で２０２１年３月から臨床試験開始。

アンジェスと、阪大／タカラバイオが、ＤＮＡワクチンを、最短で２０２１年１月から臨床試験開始。

ＩＤファーマと感染研が、ウイルスベクターワクチンを、最短で２０２１年３月から臨床試験開始、とそれぞれの意向を出している。

こういう状況になってくると、臨床数値の悪い感染予防確率の低いワクチンは淘汰されていく。

マスクみたいなものですよ。以前は、中国製のマスクでもいいから欲しいという人がいたけれども、日本製が普及しだすと少し高くてもこっちを買う。それと同じことが起こるのではないか。

## 「円高」マグマが噴火するか

**宮崎**　次に為替相場の話をしましょう。ちょっと歴史を振り返っておきたいのですが、1ドルが360円の固定相場時代、じっさいの為替差損は日銀が負っていた。固定レートがかなりの長期にわたって維持できたのは、資本も、資金移動も自由化されておらず、M&Aなどは日本では稀で、ひたすら貿易黒字を積み上げていた。こういう状況では、緩慢に円高傾向となることは明らかです。

日本人の海外渡航が自由化されたのは昭和40年代。自由化されても暫し、持ち出せる外貨は1000ドル以内。日本人の海外旅行者数が100万人を超えたのは、昭和48年度頃。日本は必死でドルを貯め、賠償金を支払ったのです。

1971年のニクソンショックで、米ドルは金兌換システムから離脱。米ドルは紙切れとなり、1971年末のスミソニアン協定から、1985年の「プラザ合意」を経て、円ドル・レートは完全に変動相場制に移行しました。

つまり為替差損の負担者もしくは被益者が、政府から民間へするりと移転したというわけです。

為替レートというものは、実体貿易の数十倍の規模で行われる通貨取引によって決まります。したがって、通貨は商品でもあり、投機対象となり得るわけです。

ジョージ・ソロスは、ポンド危機に便乗して一夜で10億ドルを稼ぎ出し、97年のアジア通貨危機でも裏面で暗躍したといいます。

この場合、皮肉にも準固定相場制度をとる香港、台湾、中国のようなドルペッグ体制の国々のほうが、為替の乱高下が起こりづらいのです。

通貨がいったん、穀物や石油のように投機商品に化ければ、従来の為替理論は通用せず、実体経済や貿易バランスは横に追いやられ、第一に金利、第二に経常収支、第三が政治相場、そして主要国の政治環境によって左右されます。これらの変動指数から、次の相場形成の傾向を先読みする投機筋が、通貨戦争を仕掛けるからね。

レーガン政権二期目、ベーカー財務長官は日本に強引にプラザ合意を押しつけました。クリントン政権の時代、1ドルは124円から83円台となった。オバマ政権は日本のことなど眼中になかったかのように1ドル＝75円という記録的な「円高」がきても、日本の悲鳴を無視した。

さてバイデン政権です。政権発足前すでにドル下落が始まっており、1月6日には1ドル＝102円台までドル安がすすんだ。バイデン政権になって、しばらくは105円台まで戻ったとはいえ、またぞろ円高になるのではないか。私は円高の再来がきっと近く起こると予想しています。

**渡邉**　円高予想が出ている1つの背景に、米国では、民主党政権になると超円高になることが、繰り返されてきたからです。

民主党政権は、大きな政府として量的緩和とか財政出動するので通貨量が増える。問題はこれに対して日本が資金をどうするかです。これを増やさないということになれば円高になる。

その典型的な状況で起きた日本の大失敗というのが、1回目の政権交代のとき、1995年、自社さ連立の村山政権時に、80円を切る円高になった。

そして2回目の円高が、日本の民主党政権の時です。アメリカが3・4倍、イギリスが4倍前後まで資金を増大させていく中で、日本だけが1・4倍ぐらいまでしか資金を増大させなかった。結果的に円が割高になっていった。

**宮崎**　白川日銀の失敗といわれていますね。日銀のメンタリティというのは、緊縮ですから。

**渡邉**　白川日銀もそうだけれど、初めて１００円を超えたのは藤井裕久が大蔵（現財務）大臣の時です。また民主党政権時にも財務大臣を務めています。円高論者ですからね。

**宮崎**　あの人も大蔵省出身だから。

**渡邉**　この2回に関しては、円高があったのだけど、今回違うのは、日本も世界水準に合わせて量的緩和をしている点です。ですから多少上がってもオバマ政権のときほどの円高というのは、たぶんないでしょう。

**宮崎**　産経編集委員の田村秀男さんも日本が量的緩和をせず、日米の金利差が広がれば円高は避けられないと警鐘をならしています。「円高マグマ」が爆発寸前だと。

マグマとは「日米の実質金利差」であり、「実質金利は名目金利からインフレ率を差し引いて算出する。金の裏付けのない現代のおカネの値打ちはその通貨建ての市場金利と、その通貨でいかほど購買できるかを占めるインフレ率に左右される。実質金利が高い通貨が選好され、低い通貨は売られる」（田村前掲論文、20年12月19日付「産経新聞」）と。

中国がこのところ、日本国債を購入しているのは、ドルから円への転換で得られる金利差であり、つまるところ日本国債の金利が０・５％であっても、十分に投資価値があるから。

コロナ災禍による財政出動は記録的天文学的巨額となっていますが、アメリカはお構いなく赤字国債を出し続けていく。

日本は、かなりの巨額並びに補正予算で真水を増やしてはいるもののこの程度では円高マグマを冷却するには到らない。

**渡邉**　日本が量的緩和をしなければそうですが、逆にいうとこのコロナ禍のなかであのときほどやせ我慢するだけの体力が日本にはない。

## 政治力のなさが日本経済のリスク

**宮崎**　量的緩和せざるをえない、と。財務長官に就任したジャネット・イエレン氏は本来財政均衡論者で、ＦＲＢ議長のときには金利を上げたのですよね。バイデン政権がやろうとしていることと逆じゃない。
**渡邉**　そこが不確定要素ですね。
コロナ禍において世界中が量的緩和するなかで緊縮に動くことは考えにくい。半面、未曽有の金融緩和の悪影響がどうでるのか。加えてバイデン政権のチグハグな政策がどうなるのか。これこそがコロナがもたらした異常な新常態なのでしょうね。

**宮崎**　実体経済の、おそらく為替投機としていま動いているお金というのは実体経済の50倍、100倍くらいあるでしょう。

**渡邉**　20倍という人もいますが、先生がおっしゃるよりも、もっと増えていると思います。リーマン・ショックのときに120倍程度のフェイクマネーがあるといわれたのですが、いまはそれ以上といわれています。特にコロナでどれだけ増えたかわからない。

**宮崎**　そうすると、この投機資金というのは従来の理論なんかなんの関係もなく動く可能性がある。渡邉さんも私も貿易の仕事をしていましたから現場の体験がしみ込んでいますよ。

**渡邉**　ただし、その代わり各国政府が銀行監督に対してハンドリングを強めました。リーマン・ショックの後、自由な取引が許されていた投資銀行は、FRBから融資を受けられる対象になり、FRBの監督下に入りました。また、金融危機を契機に成立した金融規制改革法（ドッド・フランク法）によって、「ボルカールール」が採用され、銀行の自己勘定取引に規制が設けられた。

日本もそうですけれど、年金などが買い支えしたりして、株式をコントロールしてしまっています。だって、いま日本で、上場企業の株主は20％以上が年金だとかいいますから。そうなってくると、もうすでに、従来の自由主義経済的なフリーハンドのマーケットではなくなっている。

だから旧理論だとか統計的数字よりも、政治的要素で動くことのほうが強くなってしまっている。

**宮崎**　ボルカーね、懐かしい名前です。レーガンの言うことを聞かないので、拝火教の教祖をもじってボルカー教祖なんて風刺漫画もありました。ともかく政治力のない日本にとっては致命的な状況だ。

# 第4章

# コロナで見えた日本の大問題

## テレワークで何が変わったのか

**宮崎** コロナというのは日本の根本問題を顕在化してくれた、という狭い意味では悪いことだけではなかった。ウィズ・コロナやアフター・コロナなど言われていますが、コロナ禍で何が変わったかを論じたいと思います。

まず、いちばん顕著に表れているのは、やっぱりテレワークでしょう。一流ホテルがテレワークサービスを実施しましたし、帝国ホテルは99室をアパート利用としました。東京脱出組が公然と増えてきている。われわれの職業柄でいうと講演がゼロになった。これはすごいよね。

**渡邉** 最近になってリモート講演も少しずつ増えてきてはいるものの、やはり人と接しないかたちの講演はやりづらいですよね。

**宮崎** やりづらいというか、聴衆の反応がなんにもわからない。

**渡邉** だから非常に難しい状況になっている。不動産でいうと、プラスワンルーム、一部屋増やすという動きがでているんですね。なぜならば、お父さんが家にいる。テレワークはいいけれども、結局テレワークをする場所がない。

**宮崎**　それでお父さんのお部屋が必要になっちゃった。もしくは二軒目か別荘。

**渡邉**　そうですね。そういうことでいうと、たとえば都会の都心部23区内の狭い２ＬＤＫに住んでいた人たちが、郊外の３ＬＤＫとか、場合によっては郊外の戸建てを借りたり買う動きにつながっている。

これは日本だけの話ではなく、いまニューヨークからの大脱出もはじまっている。特にアスファルトへの忌避。結局、高層ビルなどは、高いところの圧迫感があって、なおかつ外に出られない。

ただでさえ移動が制限されるのに、外にも出られないという状況になりますと、やはりみんな開放を求めるという動きが出ていて、ニューヨークのマンハッタン中心部の高層マンションがガラガラになりはじめている。

特に富裕層の場合、ヨーロッパだと別荘地を持っていますから。別荘地に住まい替えして、テレワークをやっている人たちもたくさんいる。

**宮崎**　カリフォルニアだって、シリコンバレーの住宅はえらい下がっている。

シリコンバレーのアパートの家賃価格は、ＩＴ企業が在宅勤務・遠隔作業を受け入れたことを背景に急落した。

たとえば、サンフランシスコの1ベッドルームのアパート（スタジオ型）の平均家賃は、2020年5月に前年比9％減少した後、6月に前年比11・8％減少し、約2カ月で20％下落。こうした大幅な落ち込みは、過去に前例がないそうです。

**渡邉**　カルフォルニアに関しても、おっしゃられるようにいまシリコンバレーを中心に主な大企業が、どんどんテキサスだとか他の州に移ってしまっている。テスラのイーロン・マスク氏もテキサスに移すと表明している。テキサスは税が安いんですよね。そもそも所得税というものがないわけですから。

**宮崎**　いちばん安いのはデラウェア州だけどね。あそこはバイデンの地元だから、みんな嫌がるのかな（笑）。

**渡邉**　地域的に近いとか、移動がしやすいとか、いろいろな条件があるのでしょうけれど、カルフォルニアはリベラルが強いため、税は高い半面、社会サービスは決して厚くない。

美濃部時代の東京都みたいなもので住みやすいわけではありません。

**宮崎**　米国は、地下鉄はほとんど未発達なんだよね。ニューヨークやサンフランシスコといった、コンパクトサイズの大都市で整備されているくらいで。

**渡邉**　サンフランシスコでさえ、いまだに地上はケーブルカーですからね。テレワークといえば、在宅勤務をする社員の働きぶりを「監視」するソフトも次々導入されています。

パソコンやスマートフォンの利用状況を把握するソフトや、メールの送受信履歴などを基に社員の生産性を把握する。また内蔵カメラなども労務管理に使う。ある種、監視社会の強化につながりかねないものがでてきています。

また、苦境が伝えられる鉄道業界では、ＪＲ東日本がテレワーク向け車両の実証実験を始めています。東北新幹線の車両を使い、通話やビデオ会議ができるよう、無料のＷｉ‐Ｆｉルーターを貸し出したり、会話漏れを防ぐため話し声を聞こえにくくする特殊な音を流したり、と。

私はコロナといのはピンチに違いありませんがいち早く対応した企業にとってはチャンスでもあることを言い続け、書き続けています。

## コロナで東京一極集中が解決⁉

**宮崎**　コロナ禍において、「災い転じて福」をなした唯一の例外は、東京から地方へ転出する人が増えたことですね。

**渡邉**　そう思います。日本にとって地方の過疎化と東京一極集中は一朝一夕では解決できない深刻な問題ですから、コロナでもなければこれほど大きな社会実験はできないことだろうと思います。

**宮崎**　そう考えると、ふるさと納税で地方を活性化させるなどということは、小手先の処方でしかなかった。

もともとバブル時代には新幹線通勤組がいて、小田原や熱海、小山、宇都宮、高崎から通勤する人々もいた。当時は、会社によっては、新幹線定期が負担されたしね。

明確に東京への流入超過がとまり、マイナス傾向に――つまり転出超過に転じたのは2020年5月。それまでにも茅ヶ崎、逗子への転出は目立っていましたがね。

それゆえ大船以南でも、マンションの価格帯が高い。

東京都心との１００キロ圏内ではテレワーク用にセカンドハウスをローンで購入する人が増えています。千葉県の取手から館山、埼玉県本庄市あたりに、そういう傾向が見られる。

また職業によっては東京の住まいを維持する必要がなく、一気に新潟県越後湯沢など、格安の温泉リゾートを購入する人もいます。

テレワーク普及効果のおかげで、東京に本社をおく必要がなくなった。

パソナが、淡路島に本社を移転させた、というニュースは衝撃的でした。「２０２１年春を目処に１０００人の社員が移動する」と騒がれました。

実際、淡路島にはパソナ経営のテーマパークがあって、ＤＸ（デジタル・トランスフォーメーション）の先駆けとも言われた。

また、ＩＤホールディングスは千代田区から鳥取県米子市へ、森田薬品工業は創業地の広島県福山市へ、ソフト開発のアステリアは東京本社ビルを半減、なにしろ同社社員の95％がテレワーク（在宅勤務）だから、本社をもつ意味さえないわけだよね。

完全に、流れが変わった。

定年後、ゆとりある生活を求めて、沖縄移住が静かなブームとなっていましたが、この底流には、都会人が持つ「田舎暮らし」への憧れがあった。

現役サラリーマンは、マンションのローンを抱え、子供の教育費問題が深刻化し、学校の条件、環境で住まいをかえる傾向もあった。

それ以前に大きな変化は、東京でしか成り立たないとされた文壇、論壇の動きでした。福岡在住でも、下関在住でもあるいは軽井沢在住でも、作家業は成り立つ。だから、論壇はアカデミズムが主流だけれど、書き手はいつしか東京と関西圏に別れていましたよ。

ジャーナリストといえども時事、政治、経済を扱わない書き手は、東京に活動拠点を置く必要がないのだよね。

この傾向に拍車を掛けたのが漫画家。なにしろ活字媒体の10倍という市場規模に膨れあがった漫画業界は、これまた地方在住でも、コンピュータ送稿が可能となり、さいとう・プロダクションですら在宅分業可能になった。

テレワークが可能ならば首都圏や大都市に住む必要性は薄れる。自然環境に恵まれた場所のコティジであれ、温泉リゾートであれ、住みよい環境を求めて、どこへでも行くことができる。

## 最大の変化は安倍ロス・トランプロス

**宮崎**　コロナが何を変えたか。もう一つの大きな事件は安倍ロス、トランプ・ロスでしょう。予想もしなかったことが、コロナによって引き起こされた。「武漢コロナ」、「チャイナ・ウイルス」と呼称すべきなのに日本のメディアは「新型コロナ・ウイルス」と一括して、中国元凶説の打ち消しに協力的です。ＷＨＯの支店みたいだ。

**渡邉**　そうですね。お好きな方にもたまらないし、お好きでない方にはもっとたまらないというのが、安倍さんとトランプさんだった。

それで安倍ロス、トランプロスに悩む人たちというのは、決して安倍さん、トランプさんのファンだけではなくて、嫌いな人ほど強い敵がいなくなってしまった悲しみに暮れるという（笑）。

**宮崎**　反対する根拠がなくなった。生きる目標をなくした……という感じかな。

**渡邉**　生きる目標を失った方々がたくさんいるのではないかと。

特にコロナによって、移動制限などで人間にストレスをかなりかけている。そういうストレスのはけ口に、トランプさんや、安倍さんはうってつけだったのでしょう。

好きな人から見れば、安倍さんも、トランプも、ナショナリストであり、国家主義を謳う人たちということになるのでしょうけれども、嫌いな人たちにとっては絶対悪みたいなもので「森羅万象、安倍が悪い」といっていればよかった。

自分たちが感じているストレスをぶつける相手として、強い「悪」の存在が必要だった――ということがいえるのかな、とは思います。

**宮崎** 最近で言えば森喜朗たたき。そういう話の流れでいけば、流行した『鬼滅の刃』は、鬼退治の物語。それを、現在の社会状況に照らし合わせると、どう考えても「鬼」はコロナと中国共産党です。それを安倍さんやトランプに向けているのは、的がズレている。

**渡邉** 「鬼」という言葉は、風水や古代の易学的にいうと、疫病を意味する言葉でもあったらしいんですね。

いわゆる風水というものは、たとえば江戸の町づくりなどにも応用されているわけですが、結局、疫病などというものをどのように捉えるかという技術なのですよ。水の流れをどうコントロールするか、ということ。

要は上流で汚い水が流れれば、下流の人たちは、昔でいえば、腸チフスにかかるとか、コレラにかかるとかいうことです。

そういうことがあるので、清らかなものが下に流れるようにする。そして、そこに風が流れることによって、いま言っている〝密〟の状況から避けるみたいなかたちでの都市設計がなされる、と。

これが風水であって、そこに登場するのが「鬼」なんですよね。

鬼ということでいうと、今回のそのコロナというのはスペイン風邪以来、約１００年で巡ってきた疫病です。

**宮崎**　でもね、疫病は『古事記』の冒頭にも出てきます。神武東征のおり、熊野で兵士らが眠りにおち、高天原から高倉下《たかくらじ》におろされたフツヌシの剣の毒気が消えたこともあるように、疫病が歴史をガラリと変えるのです。

**渡邉**　第一次世界大戦がスペイン風邪で収束しているわけですから。

２０１８年に第一次世界大戦終戦１００年の式典が開かれたということでいうと、だいたい百年ですね。パリで開かれた式典には麻生外務大臣も出席しています。

**宮崎**　オーストラリアとニュージーランドは毎年4月25日は、ガリポリ記念日。軍事パレードをやるんですよ。ガリポリっていうのはトルコに攻めていってさんざん敗けた日なんだけど、それでもやるんですよ。日本は日清戦争、日露戦争勝利をなぜ記念日にしないのか。そう提案してそれぞれ110周年記念の国民集会を呼びかけ、大勢が集まっていただいたこともありましたが……。

**渡邉**　ですから、ちょうど百年ぶりの疫病の大流行ということに相なったわけです。疫病の流行によって、われわれの習慣が大きく変化した。

かつて第一次世界大戦は、スペイン風邪で戦争が終わった。大量の感染者により戦争どころじゃなくなった。

**宮崎**　5000万人以上の死者が出た。戦死者よりもスペイン風邪で死んだ人のほうが多かった。戦死者は約1000万人くらいですから。『古事記』の崇神《すうじん》天皇のところを読むと疫病で国民の大半が死んだと書かれていますよ。

## 日本人の価値観を再認識

**渡邉**　当時の海外での大流行に対して、日本では、流行はしたことはしたのだけれど、死者の割合は非常に少なかった。その理由というのが、やっぱり日本の、衛生観念とか、それ以前からの疫病に対する風水の考え方が取り入れられた都市設計が、大きな効果を果たしたのではないかといわれている。

また、ヨーロッパは、ほとんどの都市が戦争などで壊れていないので、インフラが古い。そのインフラの古さが、疫病の感染拡大をさらに招いた、というような見方もある。

**宮崎**　今回のコロナでも、ヨーロッパとアメリカで多くの死者が出ていますが、やっぱり建物の古さは関係していますか？

**渡邉**　建物というか、都市設計そのものの古さも、原因としては大きいですし、やっぱりいちばんはコミュニケーション手段ですよね。

よくいわれるのは土足厳禁の日本の文化。これは、コロナの感染をかなり抑えているのではないかと。だから、ヨーロッパでは、いま、急速に土足厳禁にするところが出てきた。

**宮崎**　畳にするの？

**渡邉**　いや、入口でスリッパに履き替える。

**宮崎**　スリッパだって汚れているじゃない。同じだよ、どうせ（笑）。

**渡邉**　畳にすればベストでしょうけど、それでもやっぱり、いままでの土足とは雲泥の差というわけで。少なくともこれで、欧米の生活様式が大きく変わるのは間違いない。

後は下水の問題もあるかと思います。コロナは排泄物に多く含まれ、下水設備が悪いとそれが大気中に拡散してしまう。ＳＡＲＳの時も香港で配管を通じた感染が問題になった。日本においても、建築家の隈研吾さんがおっしゃられているように、コロナによって何が変わるかというと、都市設計そのものを変えなければいけないと。いままでは箱庭型の都市設計を行っていた。狭い空間をどのように活用し、どうやって街をつくるかと。空間の中に街をつくる設計から、いまはもう開放型の設計に切り替えなければいけない。都市設計そのものに、大きな変革が起きている。

たとえば、ここ数十年はビル建設が各地で行われていますが、問題は窓が開かないビルばかりなのです。病院もそうです。

**宮崎**　ホテルでも、窓が開かないところがたくさんある。

**渡邉**　最近の高層ビルは、特にそういう傾向が強くなってきている。

なぜかというと、エネルギー効果を考えると、中で空気を循環させたほうが効率がいいわけです。ところが、そういうやり方では、いまのようなコロナ禍の状況下では対応ができない。そこで、ビル設計そのものをいままでの循環型の空調システムから開放型の空調システムに切り替えなくてはいけない。

または、設計そのものを、窓が開くような設計に切り替えていくというような動きが、すでに出はじめています。ダイキンなどの空調メーカーが、ものすごく忙しいらしいですよ。

**宮崎**　ダイキンは、以前から忙しかったけどね。中国で最大に当てた日本メーカーといったら、やっぱりダイキンでしょう。

ダイキンは欧州でも、たとえば２０２３年にベルギーに研究開発拠点の新設も予定している。開発にあたる技術者も、欧州全体で３割増やすらしい。

**渡邉**　中国依存度が高いということは、いまはダイキンのリスクでもあります。ただ国内向けの産業用設備はほとんど日本でつくっているので、そちらのほうは大丈夫なのかもしれません。

また、社会全体が、通勤をしなくていいということになりつつある。いままで毎日行っていたのが、週に１回でいいということになれば、必然的に通勤が苦ではなくなる。そういう背景から、一極集中型の都市構造が少しずつ緩んできた。

**宮崎**　たとえば、東京に清澄という土地があります。江戸時代、干潟だったこの地帯を開拓した人に「清住弥兵衛」という人がいて、その苗字からついた地名だというのだけれど。

はじめは弥兵衛町といい、その後に清住町となり、やがて清澄になった。彼の出身地が安房国清澄村だったから、というのが定説だそうです。きっと、水が綺麗であってくれという願いもあったのではないか。京都には、清滝なんて地名もあります。

それで鬼門というのは、たしか北の東、北東ですよね。

**渡邉**　そうですね、北東です。

**宮崎**　だから東京でいうと、鬼門はどこになるの？　日暮里あたりかな。

**渡邉**　皇居からみると、鬼門方向にまず鬼門の最初のおさえの首塚があって、神田明神があって、上野の五重塔があって、そして上野の清水観音堂があって寛永寺があって、それで鬼門の抑えがさらに足りないということで、犬公方が千駄木から今の位置に移した根津権現がある。それで、その先ずーっと行くと日光東照宮になるという。

**宮崎**　それは、まぁ昔の人の発想だよね。いや、現代の台湾だってそうか。たとえば店を開く。風水師を呼んでくる。それでこう見て、ここはだめだとか、ここはいいとか決めるのだから。私の台湾人の知り合いで米国の大学を出ているインテリでさえ、マンションを買うときは風水師と相談していましたから。

**渡邉**　上野の国立博物館の真裏が寛永寺なのですよ。それで国立博物館の前に噴水があって、池がある。そこからまっすぐスコーンと抜けている。山になって高くなっているので、皇居の方向に向かってスコーンと抜けている。これが江戸の風水ですよね。だから、そういうものが、日本のかつての都市設計だった。

戦後、どこからか、そういう当初のかたちを無視して都市設計が拡大していったわけでしょうけれども。

**宮崎**　うーん、やっぱり科学の発達というか、あまりにも合理主義が蔓延して、そういう古い信仰とか占いみたいなものを現代人は捨てちゃったのですよ。それがいちばん大きな原因だと思うよね。だんだん、またよみがえりつつあると思いますけどね。

## 経済合理性、グローバルサプライチェーンの見直し

**渡邉**　グローバルサプライチェーンも、経済合理性がいき過ぎた結果のリスクとして、改めて見直される時代になりましたね。

今回、コロナで最初に製造が止まったのが中国の武漢だった。物の製造が止まって、自動車の製造が止まっていったわけですが、いちばんダメージを受けたのは、武漢に会社の

ある日本企業。日産だとか、ホンダなどもダメージが大きかった。それに対して、トヨタは比較的強かった。

**宮崎**　トヨタは武漢に工場がないですし。

**渡邉**　おっしゃるように、武漢でないというのと、トヨタのサプライチェーンのつくり方はカンバン方式なので、もともとその地域に完結型のサプライチェーンをつくっていた。

日本型のサプライチェーンはそうで、それぞれの地域にそれぞれの独立したサプライチェーンを構築してきた。トヨタ型モデルがその典型であり、カンバン方式を成立させるためにはそこに企業城下町を生み出す必要性があり、最終組み立て工場だけでなく、部品や部材の下請け工場までを移植する戦略をとってきたわけです。これは地域社会との融合を生み出し、外国企業であるという欠点を打ち消す役割も果たしている。

しかし、単純な効率からすれば世界的にもっとも安い場所でつくり、それを最終組み立て工場に持ち込んだほうが、優位性がある。このため、日本の自動車産業などもグローバル化の波に飲み込まれ、グローバルなサプライチェーンを採用しはじめました。

しかし、それが今回のコロナで大きな問題となったわけです。中国製の部品が手に入らないために、生産が止まった。

　また、輸送という大きなリスクも顕在化した。そして、ローカルサプライチェーンの見直しがはじまったのです。

　ＧＡＦＡなどの世界的なＩＴ企業、グローバル企業なども、この流れに逆らえないでしょう。

　ですから、アメリカで、北米大陸でつくるのは北米大陸……とかですね。安いからといって中国から輸出するのではなくて、その地域で雇用も生み出して、地域調和型のものをつくっていくという、こういうやり方をしないといけないのかと。

**宮崎**　ホンダがイギリスから撤退したけれど、やはりそうした欠陥があったからですか？

**渡邉**　いちばんの要因は、税金です。ヨーロッパと同じマーケットだったのが、イギリスからだと輸出車扱いになる、ならないという話が、やっぱり大きいのだと思いますね。

**宮崎**　結局、最終交渉によって関税はゼロになったんだけどね。

**渡邉**　最終的に関税ゼロになって、またこれ、どうするかという話は、これまた別にリセットするのでしょうけれど。

　イギリスは、トヨタも、日産も、日本のメーカーのヨーロッパの製造拠点がたくさんあった。ただ、日産の場合は、もう日本企業といっていいのかどうかわからないような体質になってしまっていますが……。

**宮崎**　日産はもう、フランス企業といったほうがいいんじゃないですか。名前も「仏産」としたら？

**渡邉**　乗っ取られましたよね。だから、日本でも物はつくってはいるけれども……。

**宮崎**　いまから50年近く前にルノーの工場を見学したことがありますが、日本の自動車より先端的と言われた時代でしたが。ラインの仕上げスピードは日本のほうが速かった。

**渡邉**　でも日産そのものが結局、これからどうしていくのか。ゴーン事件なども――あれはちょうどゴーンの事件が起きたのが２０１９年の12月29日でしたから、だから２０２０年は、ゴーンがレバノンに逃げたところからはじまったんですよ。

ゴーンこそグローバリズムの象徴で、たとえばなぜゴーンがオランダの持ち株会社を使ったかというと、オランダはタックスヘイブンで税逃れができるからでしょう。

今回ゴーンがフランス当局から、十数兆円の税金の課税をかけられたというけれど、あれだってフランスのヨーロッパの法律が１８３日以下の滞在だったら居住者とならないので、税金を払わないで済む。だからゴーンは、世界中を転々として税金を払っていなかったのです。

ところがフランス政府は、彼をフランスの居住者と認定して税金をかけるということにした。日本側は日本側で法律が違って、主たる活動拠点と、主たる住所があるというのが課税の条件になるので、これは日本での課税の対象になり得ると。さらにいえば、ゴーンが日本で最も多く稼いでいたので、主たる生活拠点は日本であると。ゴーンは、これから逃れるために海外に利益を飛ばしていたわけですね。公然たる、所得隠しです。

加えて、ゴーンが日産に不動産を買わせていたり、日産の不動産に住んでいたりしたことなどは、住所として認められてしまう可能性がある。

だからフランスとレバノンとブラジルという、３つの国のうまく国籍を利用しながら、使い分けながら、税の脱法行為を行っていたわけです。

しかしこうした脱法行為の取り締まりはパナマ文書からの大きな流れです。実は、地理的なグローバリズムの否定がもうはじまっていたのですね。

## 中国依存という日本企業の蟻地獄

**宮崎**　この期に及んでまだ中国でビジネスを拡大する日本企業が後を絶たないのはどうい

うことなのか。

日産は中国でＥＶの積極投資をしているし、トヨタはハイブリッド車（ＨＶ）の基幹システムを中国自動車大手の広州汽車集団に供給する。実際、直近の21年1月の新車販売台数がトヨタは前年同月比30・4％、日産も23・8％増えています。トヨタは10カ月連続で前年実績を上回る。

日野自動車は中国の電気自動車（ＥＶ）大手の比亜迪（ＢＹＤ）と電動商用車の開発を担う合弁会社２０２１年内に中国に設立するという。

大手電気機器メーカーのオムロンは２０３０年までに中国全土で、糖尿病や高血圧症など生活習慣病の簡易検査を受けられる店舗を１０００カ所も開設する、という。加えて同社はオンラインサービスの拡充にも力を入れ、提携薬局を通じて、血圧計や血糖計、体重計など同社製品を組み合わせた「家庭慢性病管理セット」を将来的には中国全土で１００万世帯への導入を目指す。ヘルスケア事業全体の売上高のうち中国のシェアが３割弱と依存度が高いから問題です。

キユーピーは、広東省広州市でマヨネーズとドレッシングの製造工場を２０２１年１月から稼働させました。中国で４カ所目の工場で、約33億円かけてつくった。

キユーピーが中国に進出したのは１９９３年で、中国では「丘比」として知られ、家庭用マヨネーズのシェアでは北京市で90％、上海市で55％、広州で70％と異様に高い。

**渡邉**　ただキユーピーは海外売上高の比率は９％と低く、そのうち中国は４割くらいなので依存度はそんなに高くない。

**宮崎**　その比率を上げる計画のようですけどね。

**渡邉**　半導体では20年末に、ルネサスエレクトロニクスが中国の国有自動車大手、中国第一汽車集団と中国吉林省長春市に共同研究所を設立したと発表しています。ＥＶなど車載用で技術開発で協業する。

同じく帝人も、投資額50億円かけて自動車向け樹脂部材の中国企業を子会社化するようです。

医療業界ではエーザイ、塩野義製薬が中国企業との合弁会社を設立しました。

エーザイは中国のネット通販大手の京東集団（ＪＤドットコム）との合弁で出資比率はエーザイが49％。中国で認知症に特化したオンライン診療サービス事業を始め、認知症患者のデータを活用して、中国市場向けの新薬開発につなげる。

塩野義製薬も中国平安保険グループと合弁会社を設立した。平安保険のオンライン診療から得られるデータを新薬開発につなげる狙い。それはいいんだけど、中国では共産党によるデータの持ち出し規制が厳しいのにどうするのか、と思います。

**宮崎**　しかも日本は中国が高い輸出シェアを握る製品が増えているという。国際貿易センターが集計する約3800品目のデータのうち、中国が5割超のシェアを握る品目は2019年で320と、1割近くある。

ちなみにシェアが高いのは、洗面台・便座80％、小型パソコンが66％、空調機57％といった生活用品や、液晶部材のほかジャケットやアイロン、ミキサーなども5割を超えている。

しかも20年はコロナ禍でかえってこのシェアが拡大して過去最高だというんだから。脱中国の難しさを思います。

**渡邉**　帝国データバンクのデータによると、大手の脱中国は進んでいるのですが、中小企業はかえって進出企業が増えているといいます。

## 菅政権の元凶は二階幹事長

**宮崎**　最後に日本の内政をみていきましょうか。いまの政治を見ていると、菅首相というのは飾りで、事実上動かしているのは二階さんではないのか？

**渡邉**　確かに菅政権は、首相指名選挙でも、二階幹事長がいち早く菅総理支持を打ち出したという経緯もあって、実質的には二階幹事長の院政が敷かれているといってよい状況なんだと思います。ただそのことによってさまざまな歪みがでていることも事実なんですね。

２０２１年１月13日。菅政権は、緊急事態宣言の拡大を受けて、ビジネストラック、レジデンストラックによる外国人の入国をようやく停止しました。

これには、本来は緊急事態宣言の発令に伴い行われる予定でしたが、菅総理の強い要望で行われなかったという経緯があります。

そもそも、自民党の外交防衛部会では、以前より、外国人の入国緩和に関して否定的な意見を出し続けており、新型コロナウイルスの感染拡大に伴い、これを強化すべきというのが大勢を占めていたのです。

さらに、変異種発生に伴い、「強い意見」へと変化。ビジネストラック、レジデンストラックの停止、廃止をすべきという部会の意見は、政調会に掛けられ、政調会の意見として決議されました。しかし、総務会では、これが決議されず、党としての最終意見になるには至らなかった。

自民党のガバナンスでは、まず、専門分野別の部会、そして、専門分野を超えた政務調査会、その意見を踏まえ、「総務会全員一致で党の意見とする」とされています。

これまでは、政調会の意見は、若干の調整があったとしても総務会で承認されるというのが通例でした。これは政党としての正常な、民主主義プロセスといえるでしょう。

しかし、近年、特に菅政権誕生以降、これが無視されるケースが多発しています。これが若手を中心とした議員たちの間で大きな不満の種になっていたわけです。

その典型が、習近平国賓来日反対の提言書。政調会まで通ったものが、二階幹事長などの反対によって、総務会で承認されなかった。しかも、その提言は政調会の意見として、官邸に届けられたという経緯がある。

緊急事態宣言の発令に伴う、ビジネストラック、レジデンストラックによる外国人の入国の停止問題においても、これと同じことが起きたといえます。

**宮崎**　ただ、このままいくと政権がもたないんじゃありませんか？　下手したら下野の可能性も。

**渡邉**　野党が弱すぎるので、自民党が野党に落ちるという可能性は低いと思います。

ただ冷静に局面をみれば、菅総理が誕生したのは、二階幹事長が立候補を勧め支持したからではなく、安倍政権の政策の継承を前提に、細田、麻生、竹下の主要三派と石原派がそれに賛同したからであり、それなくしては、菅さんは、総理になれませんでした。そこのところがよくわかってるのか疑問です。

実際、菅支持を表明した後に、これまでの歴史にない主要三派合同の記者会見が開かれた理由の背景には、二階氏の言いなりにならぬように釘をさす意味があったともいわれています。

「派閥政治」というと、何かイメージだけで批判されたりしますが、野党がまともな政策立案機能を持たない中で、自民党内の派閥は一種の政党としての機能を強めています。二階派は47人特別会員＋３人の勢力であるが、その多くは幹事長預かりでしかなく、本質的な勢力としては30人程度。完全な少数派であるが、二階氏が幹事長という強権を発動することでその影響力を高めているかたちなのです。それが多数派の大きな不満となり、動かない政治を生み出しているともいえます。

派閥にはシンクタンクとしての機能と他派閥との調整機能が存在します。自派閥を持たない菅総理は、はこれを自ら行おうとして、竹中平蔵氏やデービッド・アトキンソン氏など総務大臣時代の人脈を活用した。そして、党内に関しては二階氏に一存するという答えを出したのです。

**宮崎** 竹中さんとかアトキンソンさんとかめっぽう評判の悪い人たちがブレーンなのですか。お先真っ暗だな。

**渡邉** しかし、それは当然のごとく、安倍政権の継承とはまったく違うものとなり、政府内、与党内での議論もまったく進まなくなってしまったわけです。

コロナ特措法改正、コロナ対策や三次補正、一般会計予算、敵基地攻撃能力を踏まえた安全保障対応など、改正や対応を前提としたものが停止や停滞し、臨時国会で提出されず先送りされたり、せっかくつくった予備費も利用されないまま放置された。

また、安倍総理や麻生副総理が求めた、政権の正統性担保と時間づくりのための解散も行われなかった。

こうしたことの背景には、高い支持率を得たことによる自信があったとされますが、それは継承に対する評価でしかなく、菅総理が直接的な支持を得たからではありません。そして、コロナの感染拡大と、後手後手に回っている対応に批判が集まり、現在の状況に陥りました。

インターネットが主たる情報源になり、かつてのように自民党内の話や党と総理との話を知るのが新聞記者だけという密室の時代ではもうないんですよね。

議員は自ら意見を述べ、それがＳＮＳなどで発信され、多くの国民がそれを知る方法も得ています。そして、それぞれの意見に対する反応がＳＮＳなどで直接受け取れる時代でもあるわけです。こうした構造を理解できない政治家は、国民の意見の代弁者である代議士としての役割を果たせなくなってきています。

現在のところ、出てきている動きは、菅下ろしではなく、二階下ろし。菅総理に対し、二階氏を切り捨て、党内の多数派意見を尊重するように求める動きです。しかし、菅総理がこれを無視した場合、それが直接的な菅下ろしに発展する可能性も高いといえるでしょう。

**宮崎**　三木おろしと似ている、という人がいますよ。

**渡邉**　先生は覚えてらっしゃると思いますが、昔、40日抗争というのがありましたね。

昭和54年の、自由民主党内の派閥抗争。総選挙における自民党の敗北をきっかけに、主流派の大平派と田中派と、反主流派が対立。反主流派は、両院議員総会が行われる予定の党ホールをバリケードで封鎖した。
このとき、主流派の浜田幸一が単身乗り込んで、バリケードを壊したことは有名ですよね。
そのときの状況に近いことが起きています。

**宮崎**　もともと、なるべき方じゃない人がなったから。そんなものじゃないですか。

**渡邉**　安倍路線の継承といっておきながら、安倍路線の反対をやっている。

**宮崎**　良くも悪くもイデオロギーがないということは、結局そういうことになる。

**渡邉**　ポリシーがないのですよね。

**宮崎**　昨師走に、秋田に行ったら、駅前通りから秋田の名物の稲庭うどん、あのラベルがみんな菅さんでした。商店街の幟も菅さんなんですよ（笑）。
だから、菅さんを歓迎しているのは秋田と彼の選挙区ぐらいでしょう。

## 岸信夫防衛大臣に期待

**宮崎**　問題は菅さんの後ですね。河野太郎さんはやる気満々にみえる。

**渡邉**　日本の政界のいちばんの問題は、清和会に後継者がいないことだったんですが、ここにきて岸さんが浮かび上がってきたんですよ。

**宮崎**　防衛相の岸信夫氏は安倍前首相の実弟ですが、評価が高いですね。

1月22日に国防長官に就任したアメリカのオースティン氏と電話会談して、沖縄県の尖閣諸島に、日米安全保障条約第５条が適用対象されることを確認したとの報道が出ていました。

この会談ではお互いに、中国の海洋進出は、力を背景とした一方的な現状変更の試みだという認識をもち、それに反対していくことを確認した。

**渡邉**　岸さんは元々住友商事にいて、英語もペラペラだし、台湾との交流は安倍さんの代わりに、ずっとやってこられた方ですから。お母さんと二人三脚で。育ての親は違うけれど。20歳ぐらいまで実の親であるということは知らされてなかったらしいですね。

**宮崎**　そう？　顔はそっくりじゃない（笑）。

**渡邉**　安倍さんと兄弟だということは知らされてなくて、親戚ではあったけれども。養子先の岸家で実の子供として育てられ、養子であるということを知らずに育ったらしいです。でも、全部親戚ですからね。いま総理大臣補佐官やっている阿達さんも佐藤信二さんの娘婿ですから。

## イスラエルの国家意思を見習え

**渡邉**　コロナは日本の国家意思の欠如も浮き彫りにしました。台湾との違いはよく批判されますが、ここではイスラエルと比較したいと思います。

世界各国はワクチンの早期の入手に向けて、さまざまな手法で圧力をかけており、ワクチン接種の先進国であるイスラエルは、モサドまで利用し他国の倍近い価格を提示、ファイザー製ワクチンを入手したことも報じられています。そして、イスラエルはそれでも、感染拡大が止まり、経済が回復するならば圧倒的に安いと判断しているわけです。

欧州各国も同様で、集団免疫獲得＝経済の完全復活となるため、スピード勝負を行って

## 日本とイスラエルの比較

| イスラエル | | 日本 |
|---|---|---|
| 923万人 | 人口 | 1.2億人 |
| 61万人 | 新型コロナの累計感染者数 | 36万人 |
| 4498人 | 死者数 | 5193万人 |
| 382万回 | ワクチン接種回数（1月26日時点） | — |
| 16.9万人 | 国防軍・自衛隊の正規人数 | 22.7万人 |
| 46.5万人 | 予備役の人数 | 4.1万人 |

（注）感染者数・死者数は米ジョンズ・ホプキンス大調べ、2020年1月25日時点。イスラエル国防軍の人数は「ミリタリー・バランス」（2020年版）

いるともいえるのです。米国も、まだ開発に成功していないメーカーなどに余剰施設などを利用しワクチン生産の支援を要請し、必要に応じて国防生産法の適用（義務化）もありうるとしています。

**宮崎**　ファイザー製のワクチンを確保するために、ネタニヤフ首相が同社と17回にわたり直接交渉したといいますね。

イスラエルは1月26日時点で人口100人あたりの累計接種回数が42・3回となった。ワクチンにより60歳以上の新規感染者が4割減ったと発表しています。60歳以上の8割が接種を受け、75万人のうち検査で陽性は531人（0・07％）にとどまったという。希望が持てる数字ですよ。

日本との根本的な違いは、「コロナ有事」と位置づけて、軍がその対策の前面に立っていることです。情報収集、ビッグデータによる解析、ワクチン接種の実施、感染防止の検問など全面的に行っています。

1月26日付「日本経済新聞」によると、イスラエルは2020年末から1カ月弱で300万回以上を接種した。人口100人あたりの回数は英国の4倍、米国の6倍にのぼるという。

在日イスラエル大使館のバラク・シャイン報道官は「軍が緊急事態で行動するのは自然だ」と話していますが同感です。

一方、日本はどうか。日本政府の扱いはあくまで「災害」で、自衛隊の活動も「災害派遣」に限られる。

したがって、「都道府県知事からの要請」がなければ動けません。そのためには、①緊急性がある②公共の秩序維持の観点から妥当③ほかに適切な手段がないという3つの要件がなければならない。

イスラエルは人口が９２３万人と少ないので一概に比較はできないにしても、国家意思としては彼我の差は歴然としています。

**渡邉**　実際問題、世界は「ワクチン戦争勃発」といっていい事態になっているんですけどね。たとえば、英国と欧州がそれで対立しています。

英国はワクチンの早期接種のためにアストラゼネカやファイザーなどとの契約を拡大、各社に早期の供給を求めています。アストラゼネカは生産体制の遅れから全体的な予定量が供給できない状態になっている。これで影響を受けたのが欧州であり、欧州はワクチン製造拠点のあるベルギーからの輸出を阻止する可能性を指摘、欧州と英国との対立が激化しています。はたして日本に「ワクチン戦争」の意識があるのか疑問です。

**宮崎**　日本は震災やコロナ禍のような事態にならないと「軍」の存在価値と有難味がわからない情けない状態です。これが奇貨として幸いに転じなければ、亡くなった人たちが浮かばれません。

米国はウィグルの弾圧を「ジェノサイド（大虐殺）」と正式に認定しましたが、日本の外務大臣はそれを否定した。国家安全保障に関して認識力の鈍さはいまや天然記念物のようで、日本の行く先を危惧せざるをえません。

# おわりに　歴史は振り子のように揺れ――渡邉哲也

歴史は振り子のように揺れ、同じ過ちを繰り返す、そして、最高の皮肉屋である。

2016年1月の台湾総選挙から始まったナショナリズムの波は、6月の英国のブレグジット、11月の米国トランプ大統領誕生という形で世界を大きく変えていった。世界各国でナショナリズム政党が勝利、または躍進し、世界を大きく変化させていったわけだ。しかし、それは否定された側にとっては大きな権益の消失を意味する。

米国の共和党と民主党、これに並行する保守とリベラルの対立は、いまに始まったことではない。南北戦争以来の対立構造は、いまも健在なのである。そして、これは決して融和することのない対立であり、話し合いで解決できる問題でもない。主要メディアなどはトランプが分断を煽ったというが、もともと水と油なのである。トランプという強いリーダーによりそれが表面化したに過ぎない。

米国は青い州（リベラル民主党）と赤い州（保守共和党）との間で政権争いを続けてきた。

そして、この構図は何も変わっていない。合衆国において州とは国家であり、50の国による連邦国家なのである。沿岸部は青い州が占めており、西海岸はアジア系が多く、ITなどが盛んである。東海岸NYは金融、ボストンはエスタブリッシュメントが多く、どちらもリベラルである。それに対して、真ん中は赤い州が多く、カーボーイハットをかぶっているイメージ通りの自由を愛する保守的な米国人が住んでいる。

この2つの勢力が米国の支配を争い選挙を行うのが米国大統領選挙であり、どちらが勝つかで世界は大きく動いてきた。当然、その余波は日本にも到来し、特に戦後の日本の政治にももっとも強い影響を与えてきたともいえる。

そして、今回の大統領選挙の争点は、トランプ続投か退陣かであり、バイデンはトランプの対抗馬に過ぎず、政権公約はトランプ政権の否定と一人2000ドルの配布、グリーンニューディールといった有権者にとって耳あたりの良い話が並んでいたに過ぎない。そして、その多くは印象論的なものであり、具体的な行動計画などは示されていなかった。特に外交に関しては何をしたいのかわからないものだった。

しかし、それでも民主党とバイデンは勝利した。これは紛れもない事実であり、否定できない歴史の一部である。前回、オバマが勝利した時も、同様のイメージ選挙であり、CHANGEをキャンペーンの目玉に置き、YES WE CANというキャッチフレーズ選挙であった。また、「核なき世界」を謳ったことでノーベル平和賞をとったが、パキスタン攻撃やリビア内戦への介入など決して平和的な大統領とは言えなかった。

また、現在の中国の軍事的膨張をゆるしたのもオバマであり、米国の「戦略的忍耐」という名の傍観が南シナ海の人工島を建設させ、IMFのSDR（特別引出権）への参加が中国の世界への経済的影響を拡大させた。また、放置することで習近平という独裁者を生み出したのも彼の実績なのかもしれない。

逆にトランプは、暴力的なイメージと違い実際には戦争を行わず、粛々と中東などからの軍の撤退をすすめ、歴史的な中東和平を成立させたのである。また、経済的にもコロナさえなければかなり良い成績を上げており、中長期的戦略としての製造業の国内回帰や知的財産の保護など米国にとって必要な政策を着々と進めたともいえる。

さて、今回のバイデン政権であるが、オバマ政権バージョン3ともいわれ、同政権の影響を強く受けたものになっている。そして、バイデン自身の色はまったくと言ってよいほど見えてこない。そして、何をしたいのかよくわからない。

このような状況では世界は不安定化する。中国の暴走に拍車がかかる可能性が高く、イランをめぐり中東も不安定化する可能性が高い。それは世界的な対立と戦争の要因になる。抑止力であった強いアメリカの消失が世界に大きな影を与えるのである。また、国内的に見ても、ANTIFAなどの容認と警察権の否定により極左の活動家勢力などの活発化が懸念され、これに対峙する形での極右の拡大も大きな懸念材料になる。

暴力的な平和主義者、他人の人権に興味のない人権派、差別を生み出すアンチヘイト、彼らが力を持った時、戦争が起きてきたのが歴史であり、覇権を奪う挑戦者が生まれた時、世界は混沌の波に飲み込まれる。コロナによりいまは時が止まっているが、時が本格的に動き出した時、この問題が顕著化する可能性が高い。

しかし、それは大きな反動とともに揺り返される。そこには大きな矛盾が存在し、歴史はそれを許さないからである。また、破壊は新たな秩序構築の最大の要因であり、ピンチこそが最大のチャンスにもなりうる。戦後70年以上、日本は米国がつくった秩序の中で自発的にものを考えるのをやめてきた。それは強い米国という絶対的な存在があったからであり、そこには良くも悪くも「甘えの構造」が存在した。

そして、今それを捨てなくてはいけない現実が目の前に現れているといえる。そして、日本の自立こそがいちばんの最適解であるといえる。

●著者略歴

**＊宮崎正弘＊**(みやざき　まさひろ)

評論家

1946年、金沢生まれ、早稲田大学中退。日本学生新聞編集長などを経て『もうひとつの資源戦争』（講談社、1982）で論壇へ。中国ウォッチャーとして多くの著作がある。『中華帝国の野望』『中国の悲劇』『人民元大決壊』など５冊が中国語訳された。著書に『新装版　激動の日本近現代史1852 - 1941』『戦後支配の正体1945 - 2020』『台湾烈烈　世界一の親日国家がヤバイ』（いずれもビジネス社）、『バイデン大統領が世界を破滅させる』（徳間書店）、『中国大分裂』（ネスコ）、『出身地でわかる中国人』（PHP 新書）など多数。

**＊渡邉哲也＊**（わたなべ　てつや）

作家・経済評論家

1969年生まれ。日本大学法学部経営法学科卒業。貿易会社に勤務した後、独立。複数の企業運営に携わる。インターネット上での欧米経済、アジア経済などの評論が話題となり、2009年に出版した『本当にヤバイ！　欧州経済』（彩図社）がベストセラーとなる。内外の経済・政治情勢のリサーチ分析に定評があり、様々な政策立案の支援から、雑誌の企画・監修まで幅広く活動を行う。著書に『冷戦大恐慌どうなる世界経済』『コロナ大恐慌　中国を世界が排除する』（いずれもビジネス社）、『米中決戦後の世界地図』（徳間書店）、『世界と日本経済大予測2021』（PHP研究所）など多数。

編集協力：髙山宗東

**南北戦争か共産主義革命か!?　迫りくるアメリカ　悪夢の選択**

2021年3月12日　第１刷発行

著　者　　宮崎正弘　渡邉哲也

発行者　　唐津 隆

発行所　　株式会社ビジネス社

〒162-0805　東京都新宿区矢来町114番地 神楽坂高橋ビル5階

電話　03-5227-1602　FAX　03-5227-1603

http://www.business-sha.co.jp

印刷・製本／三松堂株式会社　〈カバーデザイン〉大谷昌稔

〈本文組版〉エムアンドケイ　茂呂田剛

〈編集担当〉佐藤春生　〈営業担当〉山口健志



ISBN978-4-8284-2258-9

ビジネス社の本

# コロナ大恐慌
# 中国を世界が排除する世界

「大恐慌」再来に
ソフトバンクがやばい！

【著】宮崎正弘・渡邉哲也

苦境にあえぐ
「親中企業」に迫りくる倒産ドミノ――
あの会社は本当に大丈夫か？
中国高依存度の日本企業総点検！

本書の内容



定価　本体1400円+税
ISBN978-4-8284-2177-3